자동차 보드로 체험하는
아두이노

자동차 보드로 체험하는 아두이노

발 행 | 2024년 04월 15일
저 자 | 이은상
펴낸이 | 한건희
펴낸곳 | 주식회사 부크크
출판사등록 | 2014.07.15.(제2014-16호)
주 소 | 서울특별시 금천구 가산디지털1로 119 SK트윈타워 A동 305호
전 화 | 1670-8316
이메일 | info@bookk.co.kr

ISBN | 979-11-410-8100-3

www.bookk.co.kr
 또한, 이 저서는 2019년 및 2021년 대한민국 교육부, 과학기술정보통신부, 한국연구재단의 지원을 받아 수행된 연구의 결과물입니다(NRF-2019S1A5A8034722l3, 2021R1F1A104755011).

자동차 보드로 체험하는 아두이노

이은상 지음

차 례

머리말

아두이노를 처음 접한지 벌써 수 년이 흘렀습니다. 그동안 초등학생, 중고등학생, 대학 학부생과 대학원생, 교사에 이르기까지, 수많은 학습자를 대상으로 아두이노를 소개하는 시간을 가졌습니다.

시간이 지나며 저는 몇 가지 중요한 사실을 깨달았습니다. 첫째, 실제 하드웨어를 사용하기 전에 아두이노 프로그래밍을 체험할 수 있는 시뮬레이션 프로그램의 필요성입니다. 둘째, 다양한 전자 부품을 실험하며 학습하되 이들 회로 구성 시간을 최소화한 교구 개발의 필요성입니다. 이러한 필요를 충족시키기 위해 이 교재를 준비했습니다.

본 교재에서는 틴커캐드(Tinkercad) 시뮬레이션 프로그램을 활용하여, 아두이노의 회로 구성 및 프로그래밍 문법을 쉽게 이해할 수 있도록 구성했습니다. 또한, 자동차 PCB 보드를 통해 다양한 전자 부품을 직접 체험하며 실습할 수 있습니다. 이를 통해 소스 코드 오류의 가능성을 줄이고, 회로 구성에 소요되는 시간을 단축할 수 있습니다.

이 교재를 통해 아두이노에 대한 여러분의 관심이 더욱 깊어지고, 이와 관련된 분야의 흥미가 새롭게 불타오르기를 바랍니다. 아두이노를 통해 여러분이 기술의 세계에서 무엇을 만들어낼 수 있을지, 그 가능성의 문을 활짝 열어젖히길 기대합니다.

2024년 4월 저자

제 1 장 아두이노 개요

1.1. 아두이노란 무엇인가?

아두이노는 오픈 소스 기반의 단일 보드 마이크로컨트롤러이다. 주로 학생, 공학자, 예술가 등 다양한 대상이 학습, 프로토타이핑, 예술 활동, DIY 프로젝트 등에 활용하고 있으며, 전 세계적으로 널리 사용되고 있다.

먼저, 아두이노란 의미는 이탈리아어로 '좋은 친구들'을 의미한다. 그러나 일상에서 사용하는 아두이노 용어는 하드웨어와 소프트웨어의 개념을 모두 포괄한다. 이 교재에서도 이를 혼용하여 사용하지만 원래 의미는 다음과 같이 차이가 있다.

1.1.1. 하드웨어로의 아두이노

하드웨어로의 아두이노는 특정 마이크로컨트롤러(주로 Atmel의 AVR 시리즈)를 중심으로 구성된 다양한 보드(아두이노 보드)들을 의미한다. 아두이노 보드에는 디지털 및 아날로그 핀, 통신 인터페이스, 전원 커넥터 등이 탑재되어 있다.

아두이노 보드의 종류는 다양하며, 우노, 메가, 나노, 미니 등 여러 버전이 있다. 각각은 특정한 용도나 환경에 최적화되어 설계되었다.

아두이노 우노 R3

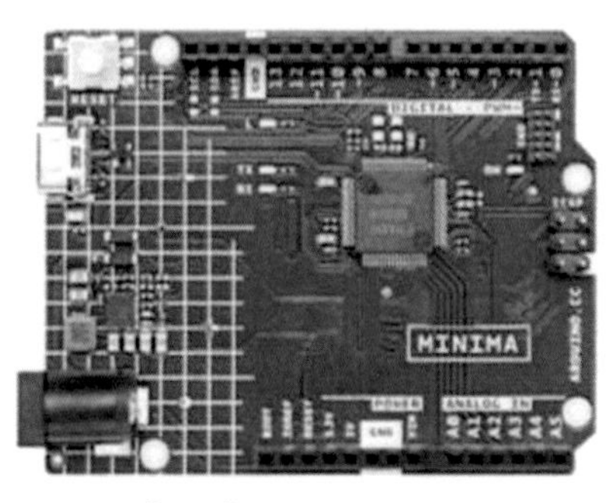

아두이노 우노 R4

아두이노 우노 복제품(DIP 타입)

아두이노 우노 복제품(SMD 타입)

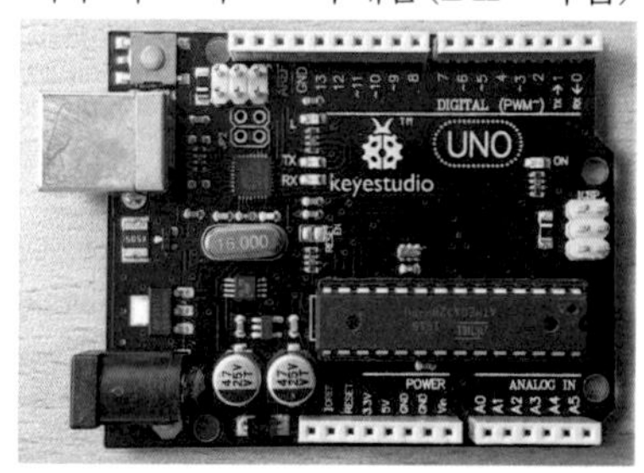

아두이노 우노 복제품(keyestudio)

아두이노 우노 복제품(오렌지 보드)

아두이노 메가 ADK

아두이노 나노

[그림] 아두이노의 종류

1.1.2. 소프트웨어로의 아두이노

소프트웨어로의 아두이노는 아두이노 IDE(Integrated Development Environment)를 의미한다. 여기에서 IDE란 사용자가 아두이노 하드웨어를 프로그래밍하기 위한 통합 개발 환경을 말한다. 사용자는 이 IDE를 사용하여 아두이노 코드를 작성하고, 편집하고, 컴파일하고, 아두이노 보드에 업로드 할 수 있다. IDE에서는 사용자 친화적인 인터페이스를 제공하여 프로그래밍 초보자들도 쉽게 사용할 수 있다.

아두이노는 수많은 라이브러리를 제공한다. 이 라이브러리들은 다양한 센서, 모터, 디스플레이 등의 외부 하드웨어를 쉽게 제어할 수 있도록 도와준다.

아두이노에서 사용하는 프로그래밍 언어는 C/C++에 기반을 두고 있지만, 아두이노만의 특수한 구조와 함수들을 포함하고 있다.

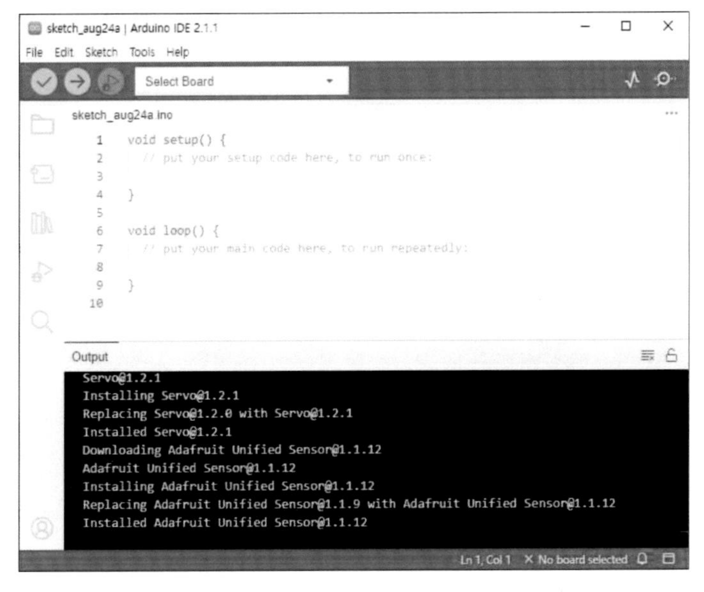

[그림] 아두이노 IDE

아두이노 IDE에서 작성되는 개별 프로그램 또는 코드를 '스케치'라 한다. 이것은 다른 프로그래밍 언어에서 '프로그램' 또는 '스크립트'와 유사한 개념이다. 스케치는 '.ino' 확장자를 가진 파일로 저장되며, 주로 아두이노의 동작을 정의하는 코드를 포함한다.

한편, 틴커캐드 '회로'는 아두이노 프로젝트를 가상 환경에서 시뮬레이션하고 테스트할 수 있다. 이를 사용하면 사용자는 실제 하드웨어를 구입하거나 조립하기 전에 아두이노 프로젝트를 시뮬레이션할 수 있다. 이를 통해 회로 설계나 코드에 문제가 있는지 미리 확인하고 수정할 수 있다.

사용자는 틴커캐드에서 회로를 설계하고 아두이노 코드를 작성한 후, 이 코드를 아두이노 IDE로 복사하여 실제 아두이노에 업로드 할 수 있다. 틴커캐드의 '회로'는 이후의 장에서 자세히 살펴보기로 한다.

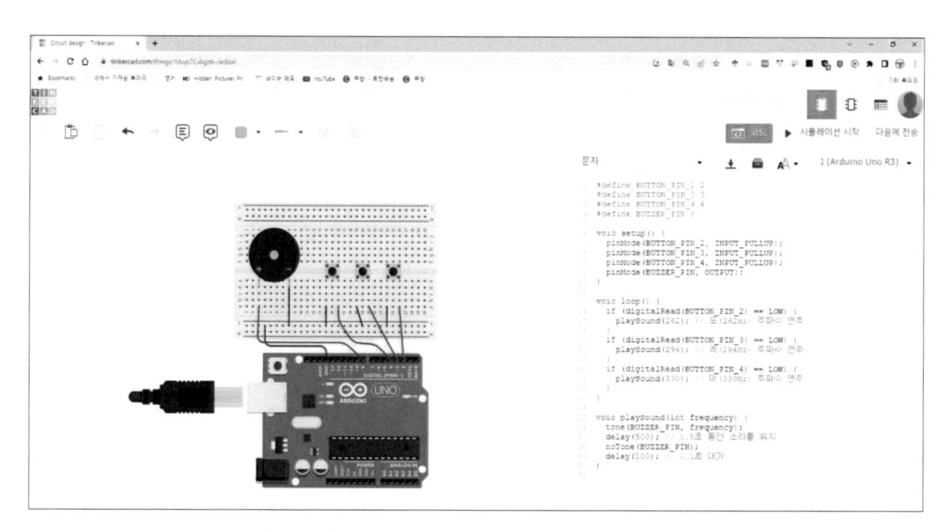

[그림] 틴커캐드를 이용한 아두이노 시뮬레이션

1.1.3. 아두이노의 특징

아두이노는 여러 가지 장점으로 전 세계적으로 널리 활용되었는데, 주요 특징을 살펴보면 다음과 같다.

오픈 소스

아두이노의 오픈 소스 특성은 기술적인 혁신과 다양한 변형을 가능하게 한다. 이로 인해 아두이노 기반의 많은 파생 프로젝트와 제품이 탄생하였다. 또한, 사용자가 자신의 프로젝트를 공유하고, 다른 사람의 프로젝트에서 영감을 얻을 수 있다.

커뮤니티

아두이노 커뮤니티의 활발한 참여와 공유 덕분에 사용자들은 빠르게 문제에 대한 해답을 찾거나 새로운 아이디어를 얻을 수 있다.

확장성

아두이노의 핀 구성과 호환성을 고려한 다양한 모듈과 쉴드(shield)가 제공된다. 이 쉴드를 활용하면 아두이노의 기능을 손쉽게 확장할 수 있다. 즉, 센서, 모터 드라이브, 디스플레이, 통신 모듈 등 다양한 외부 장치와 연결하여 복잡한 프로젝트를 구현할 수 있다.

[그림] 아두이노 이더넷 쉴드

저렴한 가격

아두이노의 저렴한 가격은 학생, 교육자 뿐만 아니라 이를 이용하여 프로젝트를 진행하는 메이커들이 이를 선호하게 된 배경이 되었다. 가격은 저렴하지만 기본 프로젝트를 구현하기에 적절한 성능과 안정성을 제공하기 때문에 여러 프로젝트에서 활용되고 있다.

1.2. 아두이노의 구조

아두이노 우노(Arduino Uno)는 아두이노 시리즈 중에서 가장 널리 알려진 보드이다. 아두이노 우노 R3를 기반으로 기본 구조를 살펴보자.

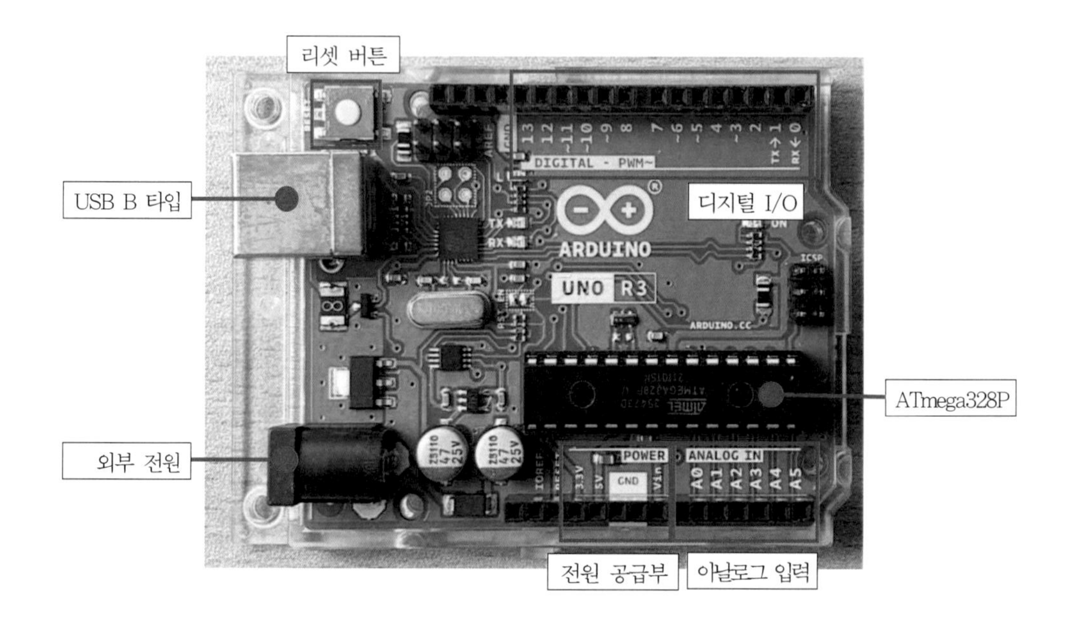

- 크기 : 아두이노 우노는 약 68.6mm × 53.4mm의 크기이다.
- 마이크로컨트롤러 : ATmega328P[1]를 기반으로 한다.
- 전원 : USB 연결을 통해 5V를 전원을 공급받거나, 외부 전원 잭을 통해 7-12V의 전원을 공급받을 수 있다.
- 디지털 I/O(Input/Output) 핀 : 총 14개의 디지털 입출력 핀이 있으며, 이 중 6개는 PWM 출력으로 사용될 수 있다.
- 아날로그 입력 핀 : 총 6개의 아날로그 입력 핀이 있다.

---

1) ATmega328P는 Atmel사(현재 Microchip Technology 소속)에서 제작한 8비트 마이크로컨트롤러이다. 이 칩은 32KB의 플래시 메모리, 2KB의 SRAM, 1KB의 EEPROM을 가지고 있으며, 아두이노 Uno 보드의 주요 구성 요소로 널리 사용된다.

• 컴퓨터와 연결 : 아두이노 우노 R3은 USB B 타입 커넥터를 통해 컴퓨터에 연결하는데[2], 이를 통해 아두이노 IDE를 사용하여 프로그래밍한 내용을 업로드할 수 있다.

[참고] 마이크로컨트롤러

마이크로컨트롤러는 작은 컴퓨터로, 중앙 처리 장치(CPU), 메모리, 입출력(I/O) 포트를 하나의 칩에 통합한 임베디드 시스템이다. 이는 통합된 구조 덕분에 공간과 비용을 절약하고, 저전력으로 작동할 수 있는 큰 장점을 가지고 있다.

이 장치는 주로 단일 기능을 수행하는 전자 장치나 기계를 제어하는 데 사용된다. 가정용 기기, 의료 장비, 산업 자동화 시스템, 차량의 내부 시스템 등 다양한 곳에 적용된다. 센서와 연결되어 환경 변화를 감지하고, 이에 따라 기기를 제어하는 역할도 한다.

마이크로컨트롤러 내의 CPU는 명령어 처리를 담당하고, 메모리는 프로그램 코드나 데이터를 저장한다. 입출력 포트를 통해 외부 센서나 장치와 데이터를 주고받는다. 이 모든 구성 요소가 하나의 칩에 집적되어 있어, 복잡한 외부 회로 없이도 기능을 수행할 수 있다.

저전력, 소형, 비용 효율성은 마이크로컨트롤러가 다양한 응용 분야에 활용되는 주된 이유이다. 이러한 특성 덕분에 배터리로 작동되는 휴대용 장치나 공간 제한이 있는 어플리케이션에서도 매우 유용하다.

마이크로컨트롤러는 프로그래밍이 가능해 사용자가 특정 작업을 수행하도록 맞춤 설정할 수 있다. 이 유연성은 다양한 환경과 요구 사항에 맞게 장치를 조정할 수 있게 해준다. 따라서, 마이크로컨트롤러는 현대 전자공학과 컴퓨터 공학에서 중요한 역할을 한다.

2) 참고로 아두이노 우노 R4는 USB C 타입 커텍터를 사용한다.

1.3. 아날로그와 디지털

아날로그와 디지털은 널리 알려진 용어이다. 앞서 살펴본 아두이노의 주요 핀으로는 디지털 I/O 핀과 아날로그 입력 핀이 있는데, 이 핀들에서도 아날로그와 디지털 이란 용어가 사용되었다. 아날로그와 디지털의 의미를 살펴보자.

1.3.1. 아날로그(Analog)

아날로그는 연속적인 값들로 정보를 표현한다. 예를 들어, 아날로그 시계의 시계 바늘이나 스피커 볼륨 다이얼은 아날로그 방식을 사용한다. 아날로그 신호는 자연 세계에서 발생하는 연속적인 현상, 예를 들어, 온도, 습도, 소리, 광도 등을 직접적으로 나타낸다.

[그림] 아두이노의 아날로그 입력 핀

아두이노에서 이러한 아날로그 정보를 얻으려면 아날로그 입력(ANALOG IN) 부분에 적절한 센서를 연결해야 한다.

1.3.2. 디지털(Digital)

디지털은 정보를 이산적인 값(예 : 0과 1)으로 표현한다. 대부분의 현대 전자기기는 디지털 기술을 기반으로 한다. 디지털 신호는 0과 1, 즉 두 가지 상태만으로 정보를 표현하므로, 복잡한 계산이나 저장, 전송 작업을 효율적으로 수행할 수 있다.

디지털 시스템은 정보를 정확하게 저장하고 복제할 수 있으며, 잡음에 대한 내성이 높다. 또한, 프로그래밍과 소프트웨어를 통해 다양한 기능을 쉽게 추가할 수 있다. 그러나 아날로그 정보를 디지털로 변환할 때 일부 정보의 손실이 발생할 수 있다.

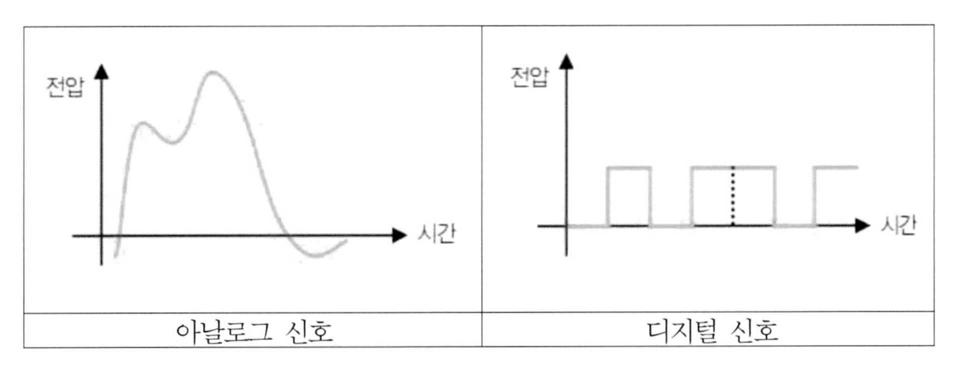

[그림] 아날로그 신호와 디지털 신호

아두이노에서 디지털 신호를 입력(예 : 버튼을 눌렀을 때 1이란 신호를 입력, 누르지 않았을 때 0이란 신호를 입력)하거나 출력(예 : LED에 1이란 신호를 내보내면 켜짐, 0이란 신호를 보냈을 때 꺼짐)하려면 디지털 I/O 핀(0~13번)을 이용한다[3].

[그림] 아두이노의 디지털 I/O 핀

---

3) 아두이노의 디지털 I/O핀은 0~13번이지만, 0번과 1번 핀은 특별한 기능을 갖고 있기 때문에 일반적인 목적으로 사용하지 않는다. 즉, 0번 핀(D0)과 1번 핀(D1)은 각각 RX와 TX 핀으로서, 아두이노의 UART(Universal Asynchronous Receiver-Transmitter) 통신에 사용된다. 이들 핀은 아두이노와 컴퓨터나 다른 시리얼 장치 간의 시리얼 통신을 담당하기 때문에 사용하지 않는 것이 좋다.

1.3.3. 디지털 시스템의 신호 형태

디지털 시스템은 정보를 전기적 신호로 표현하는 데 있어 2진 체계를 활용한다. 전기적으로는 이것이 스위치의 'On' 상태 또는 'Off' 상태와 같이 두 가지 기본 상태로 표현된다. 'On' 상태는 주로 1로, 'Off' 상태는 0으로 나타낸다. 이렇게 두 가지 상태만을 사용하여 정보를 표현하는 시스템에서 사용하는 신호를 2진 디지털 신호라고 부른다. 이는 참(true) 또는 거짓(false)의 논리적 개념과 직접 연결되어 있다.

디지털 시스템에서는 전압 수준을 사용하여 2진 디지털 정보를 나타낸다. 예를 들어, 출력 신호의 전압이 2.7V에서 5V 사이일 경우, 이를 'High' 상태로 간주하고 2진수로는 1로 표현된다. 반면에 출력 신호의 전압이 0V에서 0.4V 사이일 경우, 'Low' 상태로 간주하며, 2진수로는 0으로 표현된다.

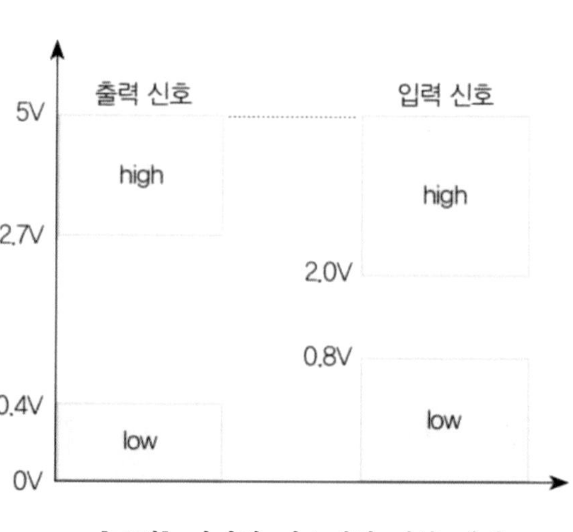

[그림] 디지털 시스템의 전압 레벨

입력 신호 역시 유사한 방식으로 처리된다. 디지털 시스템에서 입력 신호의 허용 전압 범위는 출력 신호의 전압 범위보다 조금 더 넓게 설정되곤 한다. 이는 디지털 시스템이 입력 시에 발생할 수 있는 잡음과 같은 외부 요인을 효과적으로 처리하기 위함이다. 이러한 전압 범위 설정은 신호의 안정성을 유지하고 데이터 전송 오류를 최소화하는 데 중요한 역할을 한다.

1.3.4. PWM

PWM(Pulse Width Modulation, 펄스 폭 변조)은 디지털 신호를 사용하여 아날로그와 같은 결과를 얻기 위한 방법 중 하나이다. PWM은 주기적으로 발생하는 사각파에서 펄스(파형의 'High' 상태)의 폭(너비)을 조절하여 원하는 출력을 얻는 기술이다. PWM의 핵심 원리와 적용 사례 다음과 같다.

듀티 사이클(Duty Cycle)

PWM에서 가장 중요한 개념이다. 듀티 사이클은 하나의 주기 내에서 펄스가 'High' 상태로 있던 시간의 비율을 의미한다. 예를 들어, 듀티 사이클이 50%인 PWM 신호는 한 주기의 절반은 'High' 상태이고 나머지 절반은 'Low' 상태이다.

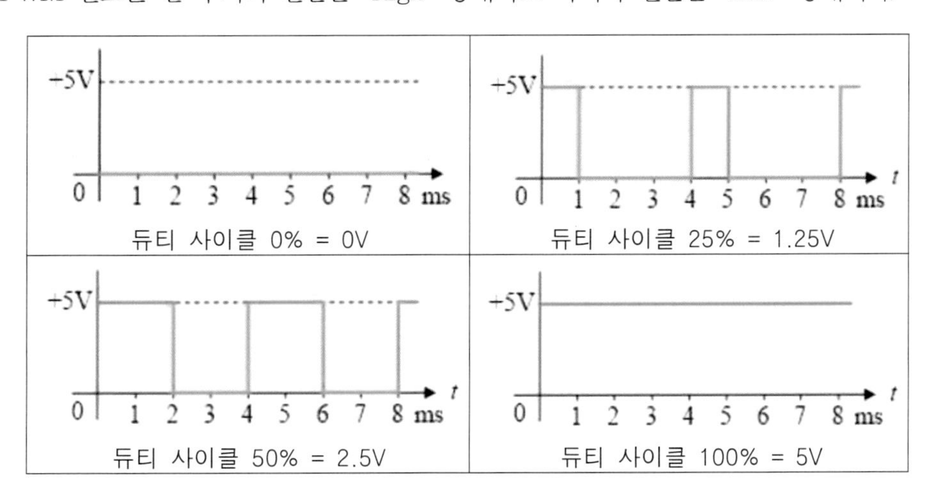

[그림] 듀티 사이클과 전압

적용 사례

아두이노, 라즈베리파이 및 기타 마이크로컨트롤러에서는 PWM 출력을 지원하는 특정 핀을 통해 디지털 출력을 아날로그와 유사한 출력으로 전환할 수 있다.

- 모터 제어 : PWM은 모터의 속도를 조절하는 데 사용된다. 높은 듀티 사이클은 높은 속도, 낮은 듀티 사이클은 낮은 속도로 모터를 제어한다.

- LED 밝기 조절 : PWM을 사용하여 LED의 밝기를 조절할 수 있다. 높은 듀티 사이클은 밝은 빛, 낮은 듀티 사이클은 어두운 빛을 만들어 낼 수 있다.

아두이노 우노에서 PWM 기능을 지원하는 디지털 핀은 3, 5, 6, 9, 10, 11핀이다. 이러한 핀들은 '~' 기호로 표시되어 있어, 이들이 PWM이 가능한 핀임을 쉽게 구분할 수 있다.

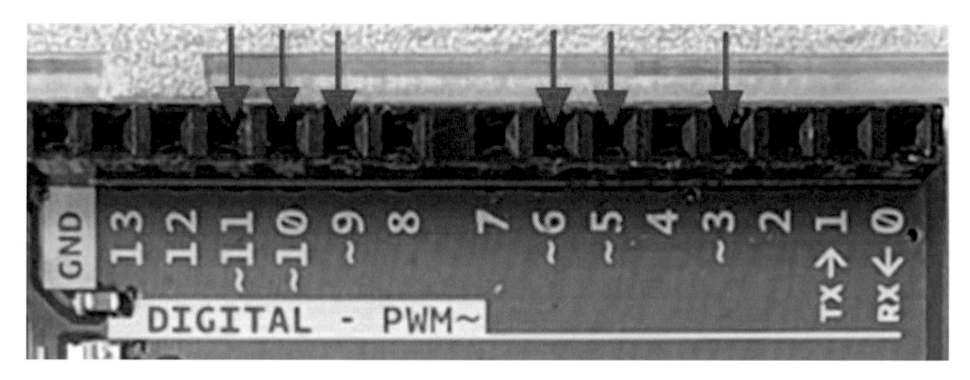

[그림] 아두이노의 디지털 핀 중 PWM 기능을 지원하는 핀(3, 5, 6, 9, 10, 11)

제 2 장 회로 구성의 기초

2.1. 회로의 이해

회로란 전기나 전자적 신호가 흐르기 위한 경로를 의미한다. 전기회로는 전압, 전류 및 저항과 같은 전기적 요소들로 구성되며, 전자회로는 전기 신호의 특성을 변화시키거나 처리하기 위해 사용된다. 아두이노의 개념을 이해하기 위해 회로의 구성과 관련된 몇 가지 용어를 알아보자.

2.1.1. 회로 구성 요소

회로는 여러 전기 및 전자 부품으로 이루어져 있다. 이러한 구성 요소는 다양한 기능과 특성을 가지며, 그들 사이의 연결 방식에 따라 회로의 전반적인 작동 방식과 특성이 결정된다.

기본적으로 회로는 건전지와 같이 전기를 공급하는 전원, 전기가 흐르는 전선, LED나 모터와 같이 전기를 사용하면서 필요한 일을 하는 부하 등으로 구성된다.

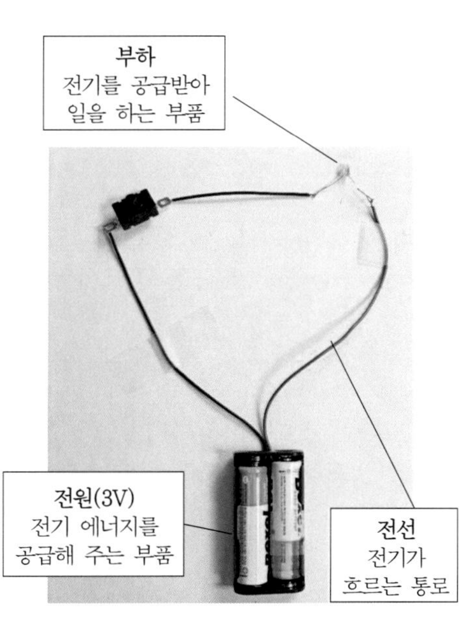

[그림] 회로 구성 요소

2.1.2. 옴의 법칙

앞서 살펴본 전기 회로에는 눈에 보이지는 않는 몇 가지 법칙이 숨겨져 있다. 먼저, LED가 켜졌다는 것은 전선을 통해 자유 전자 이동하면서 전기 에너지에서 빛 에너지로 변환시켰음을 의미한다. 이와 같은 전자의 흐름을 전류라 한다. 이러한 전류는 전원으로 사용한 건전지에 의해 발생한다. 건전지에는 일정한 양의 전기 에너지를 저장하여 전류를 발생시킬 수 있으며, 이러한 양을 전기적인 압력인 전압으로 표현한다. 마지막으로 전류의 흐름을 방해하는 성질이 있는데 이를 저항이라 한다. 전류, 전압, 저항 사이에는 다음과 같은 식이 성립함을 확인하였고 이를 옴의 법칙이라 한다.

$$\text{전류}(I) = \frac{\text{전압}(V)}{\text{저항}(R)}$$

옴의 법칙은 적절한 전자 부품을 선택할 때 활용된다. 예를 들어, 아두이노에서 LED를 연결할 때 적절한 저항이 필요한데, 이를 계산할 때 활용된다.

[참고] 회로 구성에 필요한 저항값 계산하기

앞서 서술한 바와 같이 만약 LED에 초과 전류가 흐르면 LED가 손상될 수 있다. 따라서, LED에 적절한 전류가 흐르도록 조절하기 위해서는 LED의 앞이나 뒤에 저항을 연결해야 하는데, 이러한 연결은 LED 외 다른 전자 부품에서도 동일하게 적용된다. LED에 흐르는 적절한 전류 양을 알기 위해서는 해당 부품의 데이터시트를 참조해야 한다. 예를 들어, 5mm LED의 데이터시트에는 대략 15 mA의 전류가 필요하고, 강하전압[4]은 2V라고 제시되어 있다.

이들 정보를 이용하여 옴의 법칙에 따라 LED에 필요한 전압과 전류가 주어졌을 때, 필요한 저항 값을 계산할 수 있다. 즉, 아두이노의 전압이 5V이고 LED에 필요한 강하전압이 2V, 필요 전류가 15mA일 경우, 저항값은 다음과 같이 계산된다.

- (5V - 2V) / 0.015A = 200Ω

이는 아두이노 보드에서 안전하게 LED를 사용하기 위해 필요한 저항 값으로, 가급적으로 220Ω과 같이 보다 큰 값을 사용하는 것이 바람직하다.

---

4) 강하전압란 전자부품을 통해 전류가 흐를 때 그 부품에 의해 전압이 감소하는 현상을 말한다. 예를 들어, 아두이노 보드의 5V 전원핀에 강하전압이 2V인 LED를 연결하면, 전류가 LED를 지나면서 전압이 2V만큼 떨어져 최종적으로 3V가 된다.

2.1.3. 틴커캐드 '회로' 프로그램

틴커캐드는 다양한 사용자를 대상으로 하는 온라인 기반의 3D 설계, 전자 시뮬레이션 프로그램이다. 오토데스크사에서 만들었으며, 사용자는 웹 브라우저만 있으면 어디서나 접속하여 사용할 수 있다. 아두이노와 관련된 틴커캐드의 주요 기능은 다음과 같다.

- 회로 설계 : 틴커캐드에서는 드래그 앤 드롭 방식으로 다양한 전자 부품(예 : 저항, LED, 서보 모터, 센서 등)을 작업창에 배치하고, 가상의 와이어로 연결하여 전자 회로를 설계할 수 있다.

- 시뮬레이션 환경 제공 : 사용자는 가상의 아두이노에 코드를 업로드하고, 실제 하드웨어 없이도 그 코드의 동작을 시뮬레이션하여 확인할 수 있다. 이는 아두이노 초보자들에게 특히 유용한 기능으로, 실제 하드웨어를 구입하기 전에 코드와 회로를 테스트해 볼 수 있다.

- 코드 편집 및 작성 : 틴커캐드는 내장된 코드 에디터를 제공하며, 여기서 아두이노의 C/C++ 기반 코드를 직접 작성하거나 수정할 수 있다. 또한, 블록 기반 프로그래밍 방식도 지원하기 때문에 프로그래밍을 처음 접하는 사용자들도 쉽게 코드를 작성할 수 있다.

틴커캐드 '회로' 프로그램의 주요 화면 구성은 다음과 같다.

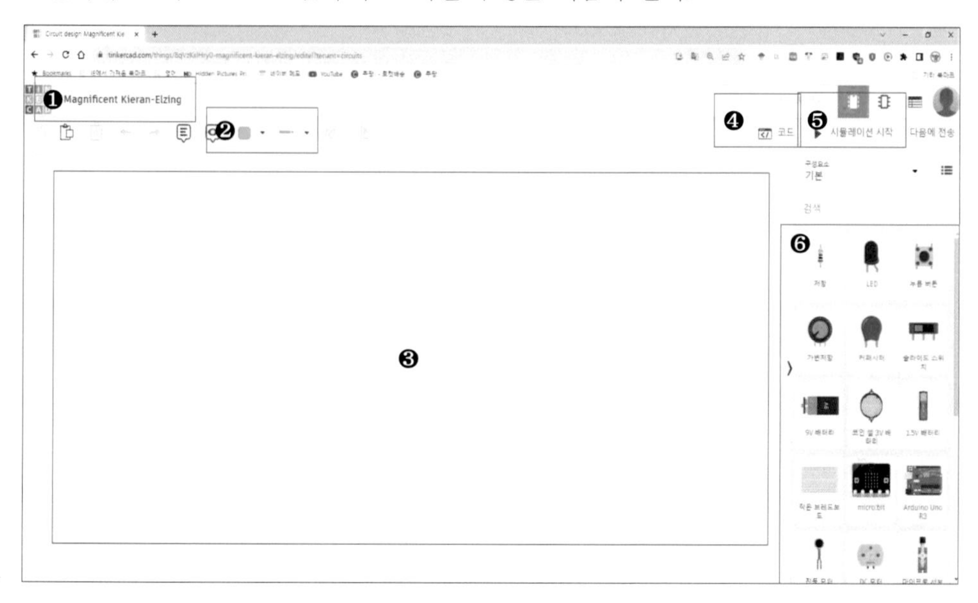

[그림] 틴커캐드 화면 구성

❶ 이름 변경 : 사용자가 자신의 프로젝트나 작업물에 이름을 부여할 때 사용한다.

❷ 연결선 : 부품들 간의 연결을 나타내는 선이다. 다양한 색상을 사용하여 연결의 종류나 목적을 구분할 수 있다.

❸ 작업창 : 여기에서 부품을 배치하고 연결하여 회로를 설계한다.

❹ 코드 : 아두이노를 작동시키는 소스 코드를 작성하거나 수정할 수 있는 영역이다.

❺ 시뮬레이션 : 설계한 회로의 시뮬레이션을 시작하거나 중지하는 버튼이다.

❻ 부품 라이브러리 : 다양한 전자 부품, 센서, IC, 아두이노 등을 찾고 작업창에 드래그 앤 드롭 할 수 있다.

2.1.4. 회로 구성 실습을 위한 주요 부품

LED(출력 기능)

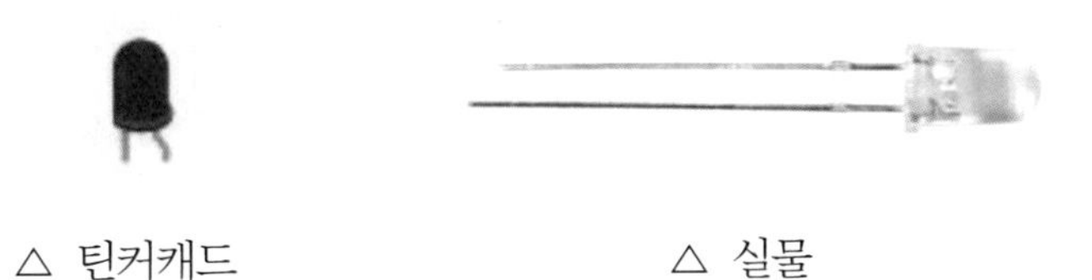

△ 틴커캐드 △ 실물

LED는 Light Emitting Diode의 약자로, 반도체 소자를 통한 빛 발생 부품이다. 아두이노에서는 가장 기본적이면서도 널리 사용되는 활용된다.

- 극성 : LED에는 양극과 음극이 있다. 양극은 긴 핀이며, 음극은 짧은 핀이다. LED는 전류가 양극에서 음극으로 흐를 때만 빛을 낸다. 따라서 LED를 연결할 때에는 극성에 유의해야 한다.

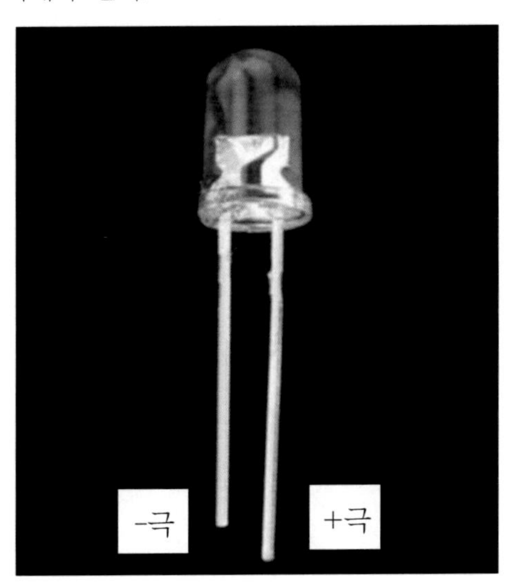

- 전류 제한 : LED는 작은 전류에서도 빛을 발산할 수 있으므로, 과도한 전류가 LED를 통과하지 않도록 저항을 사용해야 한다.

[실습] LED의 극성 확인하기

아두이노 자동차 보드에 있는 LED를 보고 각 LED의 +극과 -극을 구분해 보자.

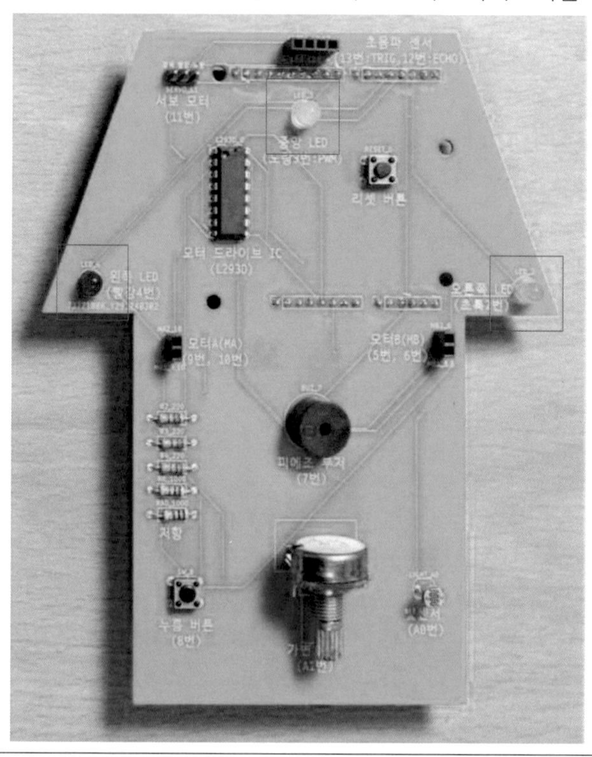

저항

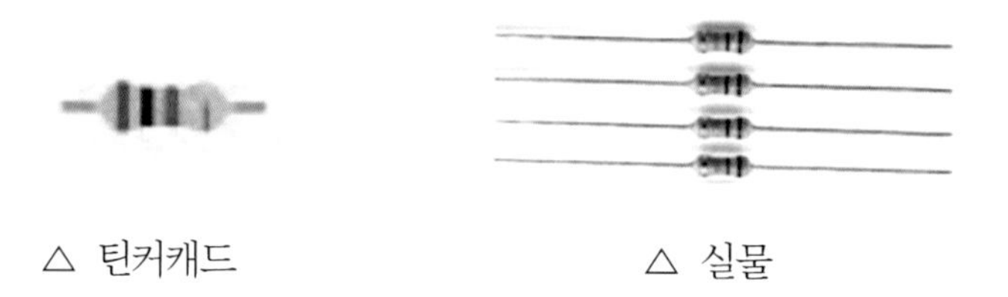

△ 틴커캐드 △ 실물

저항은 전기 회로에서 전류의 흐름을 제한하거나 제어하는 데 사용되는 기본적인 전자 부품이다. 아두이노에서는 다음의 목적으로 저항이 사용된다.

- 전류 제한 : 가장 일반적인 예는 LED를 사용하는 경우이다. LED는 정해진 전압 이상에서 작동하며, 너무 많은 전류가 흐르면 손상될 수 있다. 저항을 LED와 직렬 연결하여 적정 수준의 전류를 유지할 수 있다.

- 풀업 및 풀다운 저항 : 디지털 입력에서, 스위치를 사용할 때 '플로팅' 상태를 방지하기 위해 풀업 또는 풀다운 저항이 사용된다. 이러한 저항은 일반적으로 아두이노의 입력 핀과 VCC 또는 GND 사이에 연결된다. 풀업 및 풀다운 저항에 대해서는 이후의 장에서 좀 더 구체적으로 살펴본다.

[참고] 고정 저항기의 색띠와 저항값

고정 저항기에서 저항값을 숫자로 표시하는 데는 한계가 있어 색 띠로 저항값을 표시한다. 저항기의 둥근 표면에 4개 또는 5개의 색 띠가 표시되어 있으며 띠의 색깔은 숫자를 의미한다.

4색 띠 저항의 경우 첫 번째와 두 번째 색 띠는 첫 번째 숫자와 두 번째 숫자를 나타낸다. 세 번째 색 띠는 앞의 숫자에 곱해지는 승수를 나타내고, 네 번째 색 띠는 허용 오차를 나타낸다.

색상	숫자	승수
검정	0	10^0
갈색	1	10^1
빨강	2	10^2
주황	3	10^3
노랑	4	10^4
초록	5	10^5
파랑	6	10^6
보라	7	10^7
회색	8	10^8
흰색	9	10^9

※ 허용 오차 : 갈색 ±1%, 적색 ±2%, 금색 ±5%, 은색 ±10%

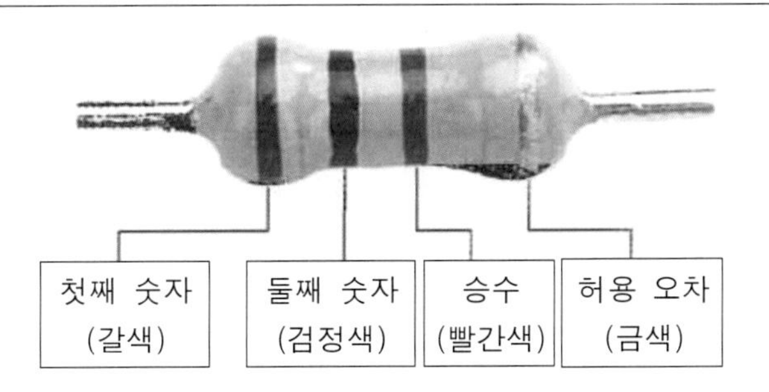

- 4색 띠의 저항값 계산 예시

= [첫째 숫자] [둘째 숫자] × [승수]Ω±허용 오차%

= 10 × 102Ω ± 5%

= 1000Ω ± 5%

= 1kΩ ± 5%

- 5색 띠의 저항값 계산 예시

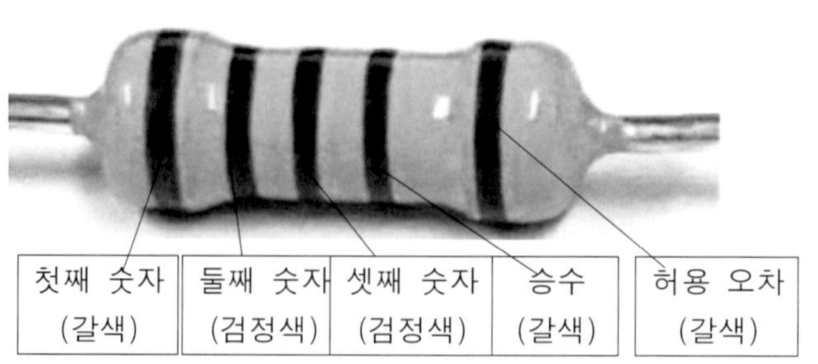

⋆ 5색 띠의 저항값 계산 예시

= [첫째 숫자][둘째 숫자][둘째 숫자] × [승수]Ω±허용 오차%

= 100×101Ω±1%

= 1kΩ±1%

[실습] 저항의 색띠 읽기

아두이노 자동차 보드에 있는 저항의 색띠를 보고, 각 저항은 몇 Ω인지 적어보자.

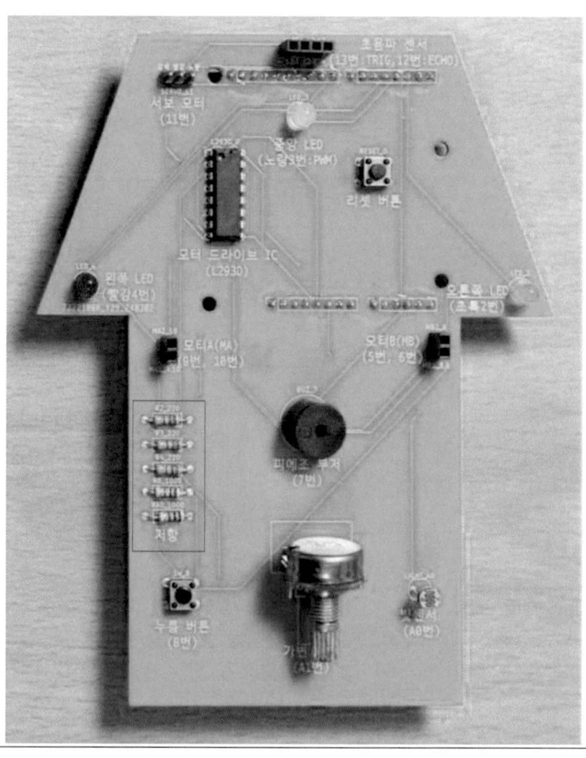

빛 센서(입력 기능)

△ 틴커캐드
(포토레지스터)

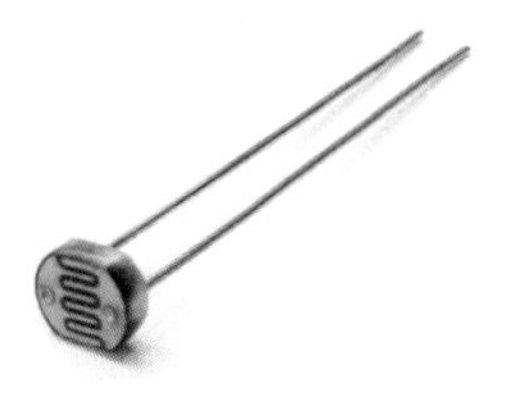

△ 실물

빛 센서는 주변 환경의 빛의 양을 감지하고 측정하는 부품이다. 빛 센서는 여러 종류가 있는데 그 중 포토레지스터는 빛의 양에 따라 저항이 변화하는 센서이다. 보통 어두운 환경에서는 높은 저항값을, 밝은 환경에서는 낮은 저항값을 나타낸다. 아두이노에서는 이러한 빛 센서의 저항 특징을 이용하여 빛이 있을 때는 높은 수치, 빛이 없을 때는 낮은 수치를 내보낸다.

버튼(입력 기능)

△ 틴커캐드

△ 실물

버튼[5]은 아두이노에서 사용자 입력을 받거나 특정 기능을 제어할 때 사용한다. 위의 그림은 누름 버튼으로 버튼이 눌려지지 않은 상태에서는 연결이 끊어져 있다. 버튼을 누르면 내부의 두 연결 단자가 닫혀 회로가 연결되며, 버튼을 놓으면 다시 연결이 끊어진다.

---

5) '버튼'은 '스위치'와 혼용되어 사용된다.

[실습] 누름 버튼과 빛센서
아두이노 자동차 보드에 있는 누름 버튼과 빛 센서를 찾아 이를 관찰해 보자.

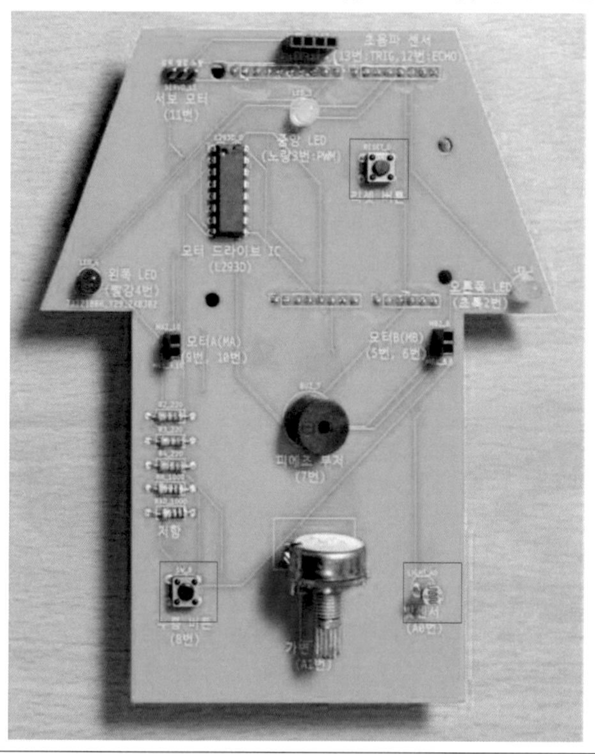

전원(건전지 및 건전지 홀더)

△ 틴커캐드

△ 실물

틴커캐드에는 1.5V 건전지 및 9V 건전지, 코인 건전지 등 다양한 전원이 있다. 이 중 1.5V 배터리를 선택하면 설정 창이 나오는데, 여기에서 배터리의 개수를 조절하여 다양한 전압을 만들 수 있다. 실제 회로에서는 건전지 및 건전지 홀더를 이용하여 회로를 구성한다.

[실습] 배터리 9V 건전지 삽입하기

아두이노에 외부 전원을 공급할 때는 9V 배터리를 자주 사용한다. 이는 1.5V 배터리 여섯 개를 이용해 9V 전원을 만들 경우, 무게가 상당히 증가하기 때문이다. 9V 배터리를 배터리 케이스에 삽입하는 연습을 진행해본다.

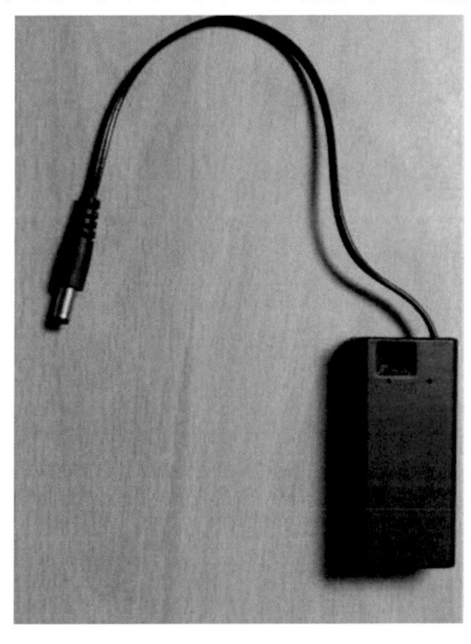

와이어

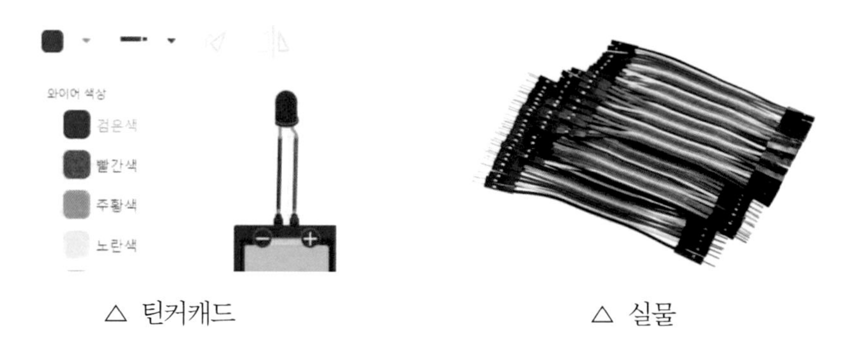

△ 틴커캐드 △ 실물

와이어 주로 회로를 구성하거나 구성 요소를 아두이노에 연결하는 데 사용된다. 틴커캐드에서는 원하는 구성 요소의 핀을 클릭하면 와이어가 자동으로 생성되며, 해당 와이어의 다른 끝을 원하는 대상 위치에 연결할 수 있다. 또한, 와이어의 색상을 변경하여 다양한 연결을 쉽게 식별할 수 있다. 일반적으로 빨간색은 양의 전원(+)에 검은색은 접지(-)에 사용되며, 데이터 연결에는 다른 색상들이 사용될 수 있다.

와이어를 연결한 후에는 그 경로나 형태를 드래그하여 조정할 수 있다. 이는 회로를 깔끔하게 정리하거나 다른 구성 요소와의 충돌을 피할 때 유용하다. 잘못 연결된 와이어는 선택한 후 삭제 버튼을 사용하여 제거할 수 있다.

브레드보드

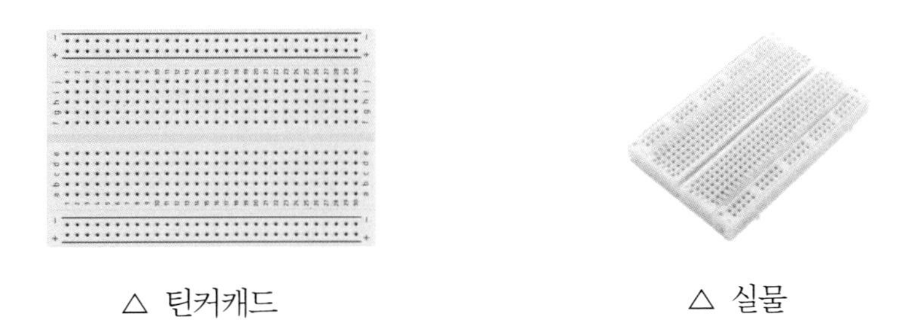

△ 틴커캐드　　　　　　　　　　△ 실물

브레드보드는 전기, 전자 회로 실험할 때 일시적으로 전자 부품을 연결하는 데 사용된다. 브레드보드는 전자 부품을 연결할 때 납땜을 하지 않아도 되며, 전선을 자르지 않아도 된다. 이에 전자 부품의 연결이나 분해가 쉬워져 보다 편리하게 회로를 구성하고 테스트할 수 있다.

브레드보드에는 전자 부품을 꽂기 위한 수많은 핀이 배열되어 있는데, 이 핀들은 전자 부품을 꽂기 위한 구멍으로 사용된다. 이 구멍 사이의 거리는 일정하게 유지되며 이렇게 구멍 사이의 일정한 거리는 다양한 크기와 모양의 전자 부품을 쉽게 연결할 수 있도록 구성되어 있다.

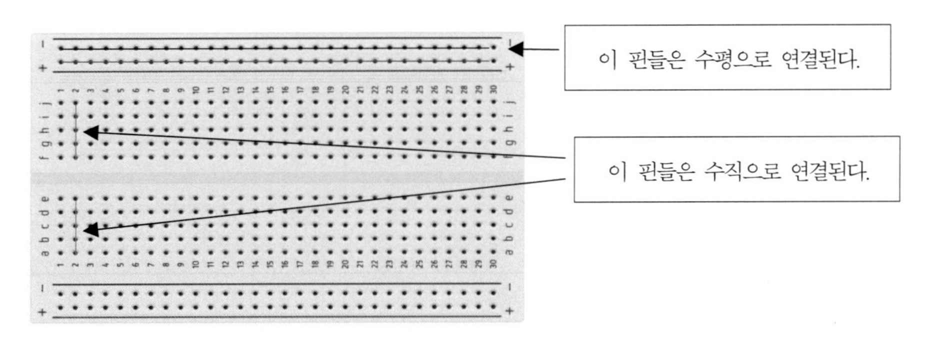

[그림] 브레드보드의 구조

2.2. 아두이노를 이용한 회로 구성

2.2.1. 디지털 핀을 이용한 전압 출력 ① 디지털 출력

아두이노에서는 디지털 핀을 이용하여 전압을 출력할 수 있다. 이를 위해서는 소스 코드의 작성이 필요하다. 먼저, 다음 회로를 구성해 보자.

❖ 디지털 핀을 이용한 회로 구성 예시(디지털 출력)

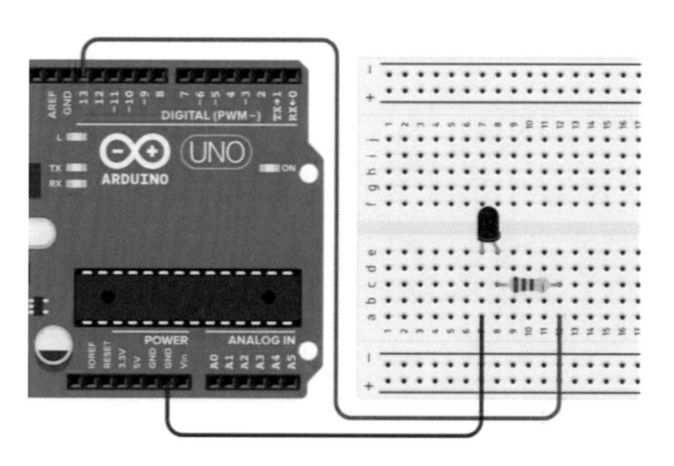

[그림] 디지털 13번 핀 연결

이 회로는 아두이노의 디지털 13번 핀에 LED의 +극을 연결하고 -극에 GND를 연결한 회로이다. 이를 틴커캐드에서 시뮬레이션하면 LED가 1초간 켜졌다 꺼졌다를 반복하는 것을 확인할 수 있다. 이는 이러한 기능을 하는 기본 소스 코드가 내장되어 있기 때문이다. 구체적인 소스 코드의 내용은 '코드'에서 '문자'를 선택하면 확인할 수 있다.

코드 ▶ 시뮬레이션 시작

문자 1 (Arduino

```
1  // C++ code
2  //
3  void setup()
4  {
5    pinMode(LED_BUILTIN, OUTPUT);
6  }
7
8  void loop()
9  {
10   digitalWrite(LED_BUILTIN, HIGH);
11   delay(1000); // Wait for 1000 millisecond(s)
12   digitalWrite(LED_BUILTIN, LOW);
13   delay(1000); // Wait for 1000 millisecond(s)
14 }
```

[그림] C언어 소스 코드

이 소스 코드의 내용은 다음과 같다.

2.2.1.1. 예제

```
01 // C++ code
02 //
03 void setup()
04 {
05   pinMode(LED_BUILTIN, OUTPUT);
06 }
07
08 void loop()
09 {
10   digitalWrite(LED_BUILTIN, HIGH);
11   delay(1000); // Wait for 1000 millisecond(s)
12   digitalWrite(LED_BUILTIN, LOW);
13   delay(1000); // Wait for 1000 millisecond(s)
14 }
```

이 소스 코드는 아두이노에서 LED를 깜박이는 기능을 하는 예제이다.

- 01-02줄 : '//'는 주석으로 메모 기능을 한다. 프로그램 실행 시 이 부분은 실행되지 않는다.

- 03줄 : setup() 함수는 아두이노 보드가 재설정되거나 전원이 켜질 때 한 번만 실행된다. 이 함수는 보통 핀 모드를 설정하거나 라이브러리를 초기화하는 데 사용된다.
- 05줄 : 내장 LED가 연결된 핀을 출력 모드로 설정한다. 이는 LED를 제어하기 위해 사용된다.
- 08줄 : loop() 함수는 setup() 함수가 실행된 후에 반복적으로 실행된다. 이 함수는 아두이노가 전원을 공급받는 동안 계속해서 실행되어 주기적인 작업을 수행한다.
- 10줄 : 내장 LED를 켠다. HIGH는 핀에 5V 전압을 공급함을 의미한다.
- 11줄 : 프로그램을 1000밀리초(1초) 동안 대기시킨다. 이 동안 LED는 켜진 상태를 유지한다.
- 12줄 : 내장 LED를 끈다. LOW는 핀에 전압을 공급하지 않음을 의미한다.
- 13줄 : 프로그램을 다시 1000밀리초 동안 대기시킨다. 이 동안 LED는 꺼진 상태를 유지한다.

앞서 살펴본 코드를 아래와 같이 간단히 수정할 수 있으며, 이를 통해 디지털 핀에 전압이 공급되는 것을 확인할 수 있다.

소스 코드

2.2.1.2. 예제

```
01  void setup() {
02    pinMode(13, OUTPUT);
03    digitalWrite(13, HIGH); // 이후 이 부분의 HIGH를 LOW로 수정해 본다.
04  }
05  void loop() {
06  }
```

이 소스 코드는 아두이노의 13번 핀 및 내장 LED에 5V 전압을 공급한 후, 그 상태를 유지하는 예제이다.

- 02줄 : 13번 핀(대부분의 아두이노에서 내장 LED와 연결된 핀)을 출력 모드로 설정한다. 이렇게 설정하면 해당 핀을 통해 내장 LED 또는 13번 핀에 연결된 LED를 제어할 수 있게 된다.
- 03줄 : 13번 핀에 HIGH 전압(5V)을 출력한다. 이 코드를 실행하면 아두이노 내부 LED 및 13번 핀에 연결된 외부 LED가 켜진다.

[함수] pinMode()

pinMode() 함수는 아두이노에서 디지털 핀의 모드를 설정하는 데 사용된다. 이 함수는 핀이 입력(INPUT)으로 사용될 것인지, 아니면 출력(OUTPUT)으로 사용될 것인지를 아두이노에 알려준다. 각 핀은 입력 또는 출력 중 하나의 모드로 설정되어야 하며, 이 설정은 핀의 기능을 결정한다.

pinMode() 함수의 기본 구조는 다음과 같다.

```
pinMode(pin, mode);
```

- pin : 모드를 설정할 핀의 번호이다. 아두이노 보드에는 여러 개의 디지털 핀이 있으며, 이들 각각은 고유한 번호를 가진다.
- mode : 해당 핀의 모드를 설정한다. 주로 INPUT, OUTPUT, INPUT_PULLUP 중 하나를 사용한다.

- INPUT : 핀을 입력 모드로 설정한다. 이 모드는 센서나 버튼과 같은 외부 장치로부터 데이터를 받을 때 사용된다.
- OUTPUT : 핀을 출력 모드로 설정한다. 이 모드는 LED 또는 다른 전자 장치를 제어할 때 사용된다.
- INPUT_PULLUP : 내부 풀업 저항을 활성화한 입력 모드다. 이 모드는 외부 저항 없이 버튼 입력을 처리할 때 유용하다.

예를 들어, 13번 핀을 출력으로 설정하려면 다음과 같이 작성할 수 있다.

```
pinMode(13, OUTPUT);
```

이 경우 13번 핀이 출력 모드로 설정되어 digitalWrite() 함수를 사용하여 LED를 켜고 끌 수 있다.

반대로, 만약 2번 핀을 입력 모드로 설정하고 싶다면 다음과 같이 작성할 수 있다.

```
pinMode(2, INPUT);
```

이 경우 2번 핀은 외부에서 오는 신호를 감지하는 데 사용될 수 있다. 예를 들어, 버튼이나 센서에서 오는 신호를 읽을 때 사용할 수 있다.

[함수] digitalWrite()

digitalWrite() 함수는 아두이노의 특정 디지털 핀에 높은(HIGH) 또는 낮은(LOW) 전압을 보내는 데 사용된다. 주로 LED를 켜고 끄거나, 전자 회로를 제어하는 데 사용된다.

digitalWrite() 함수의 기본 구조는 다음과 같다.

```
digitalWrite(pin, value);
```

- pin : 디지털 신호를 보낼 핀의 번호이다. 아두이노 보드에는 여러 개의 디지털 핀이 있으며, 이들 각각은 고유한 번호를 가진다.
- value : 핀에 보낼 값이다. HIGH 또는 LOW 중 하나를 사용할 수 있다. HIGH는 핀에 전압을 공급함을 의미하며, 보통 5V이다. LOW는 핀에서 전압을 제거함을 의미하며, 0V이다.

예를 들어, 13번 핀에 연결된 LED를 켜려면 다음과 같이 작성한다.

```
digitalWrite(13, HIGH);
```

이렇게 하면 13번 핀에 5V의 전압이 공급되어 LED가 켜진다.

반면에, LED를 끄려면 다음과 같이 작성한다.

```
digitalWrite(13, LOW);
```

이 경우 13번 핀에서 전압이 제거되어 LED가 꺼진다.

digitalWrite() 함수를 사용하기 전에 반드시 pinMode() 함수를 사용하여 해당 핀을 출력(OUTPUT) 모드로 설정해야 한다. 이렇게 하면 아두이노가 해당 핀을 출력 핀으로 인식하고 digitalWrite() 함수를 올바르게 실행할 수 있다.

[함수] delay()

delay() 함수는 아두이노 프로그래밍에서 일정 시간 동안 실행을 일시 정지시키는 데 사용된다. 이 함수의 기본 구조는 다음과 같다.

```
delay(milliseconds);
```

- milliseconds : 실행을 일시 정지시키고자 하는 시간을 밀리초 단위로 지정한다. 1000밀리초는 1초에 해당한다.

예를 들어, 프로그램의 실행을 1초 동안 정지시키고 싶다면, 다음과 같이 작성한다.

```
delay(1000);
```

이 명령은 프로그램의 진행을 1000밀리초, 즉 1초 동안 멈춘다. delay() 함수는

LED 점멸, 센서 값 측정 간의 지연, 혹은 단순히 프로그램의 실행 속도를 조절하는 등 다양한 상황에서 유용하게 사용된다. 하지만, delay() 함수를 사용하는 동안 아두이노는 다른 작업을 수행할 수 없으므로, 실시간으로 반응해야 하는 경우에는 주의해서 사용해야 한다.

[실습] LED의 출력 신호(디지털 핀)

아두이노 자동차 보드에 있는 3개의 LED(디지털 2번 핀-초록, 디지털 3번 핀-노랑, 디지털 4번 핀-빨강)를 제어하는 프로그램을 작성해 보자.

- 신호등 기능 실습 : 2번(5초), 3번(2초), 4번(3초) 핀에 연결된 LED를 순차적으로 켜고 끄는 프로그램을 작성해 본다. 2번 LED가 켜진 후 꺼지면, 3번 LED가 켜지고, 4번 LED가 켜진다.
- 교차 점멸 기능 실습 : LED를 교차로 점멸시켜 본다. 예를 들어, 2번 LED가 켜져 있을 때 3번과 4번 LED는 꺼지고, 그 다음 순서로 3번 LED가 켜지면 2번과 4번 LED가 꺼지는 식으로 LED를 제어한다.
- 모스 부호 신호 전송 실습 : 모스 부호를 사용하여 여러 가지 문자를 LED로 전송하는 실습을 진행한다. 짧게 점멸하는 LED와 길게 점멸하는 LED를 조합하여 SOS 신호를 나타내는 프로그램을 작성한다.

신호등 기능 실습 소스 코드

2.2.1.3. 예제

```
01 void setup() {
02   // 2번, 3번, 4번 핀을 출력으로 설정
03   pinMode(2, OUTPUT);
04   pinMode(3, OUTPUT);
05   pinMode(4, OUTPUT);
06 }
07
08 void loop() {
09   // 2번 핀에 연결된 LED를 5초간 켠다.
10   digitalWrite(2, HIGH);
11   delay(5000);
12   digitalWrite(2, LOW);
13
14   // 3번 핀에 연결된 LED를 2초간 켠다.
15   digitalWrite(3, HIGH);
16   delay(2000);
17   digitalWrite(3, LOW);
18
19   // 4번 핀에 연결된 LED를 3초간 켠다.
20   digitalWrite(4, HIGH);
21   delay(3000);
22   digitalWrite(4, LOW);
23 }
```

교차 점멸 기능 실습 소스 코드

2.2.1.4. 예제

```
01  void setup() {    // 2번, 3번, 4번 핀을 출력으로 설정
02    pinMode(2, OUTPUT);
03    pinMode(3, OUTPUT);
04    pinMode(4, OUTPUT);
05  }
06
07  void loop() {
08    // 2번 LED 켜기, 3번과 4번 LED 끄기
09    digitalWrite(2, HIGH);
10    digitalWrite(3, LOW);
11    digitalWrite(4, LOW);
12    delay(1000); // 1초간 유지
13
14    // 3번 LED 켜기, 2번과 4번 LED 끄기
15    digitalWrite(2, LOW);
16    digitalWrite(3, HIGH);
17    digitalWrite(4, LOW);
18    delay(1000); // 1초간 유지
19
20    // 4번 LED 켜기, 2번과 3번 LED 끄기
21    digitalWrite(2, LOW);
22    digitalWrite(3, LOW);
23    digitalWrite(4, HIGH);
24    delay(1000); // 1초간 유지
25  }
```

모스 부호 신호 전송 실습 소스 코드 [6]

2.2.1.5. 예제

```
01 void setup() {
02   pinMode(2, OUTPUT);
03 }
04
05 void dot() {
06   digitalWrite(2, HIGH); // LED 켜기
07   delay(250);            // 짧게 점멸 (0.25초)
08   digitalWrite(2, LOW);  // LED 끄기
09   delay(250);            // 다음 신호를 위한 간격
10 }
11
12 void dash() {
13   digitalWrite(2, HIGH); // LED 켜기
14   delay(1000);           // 길게 점멸 (1초)
15   digitalWrite(2, LOW);  // LED 끄기
16   delay(250);            // 다음 신호를 위한 간격
17 }
18
19 void loop() {
20   // "S" 신호 보내기 (• • •)
21   dot(); dot(); dot();
22   // "O" 신호 보내기 (---)
23   dash(); dash(); dash();
24   // "S" 신호 보내기 (• • •)
25   dot(); dot(); dot();
26
27   delay(3000); // 한 번의 SOS 신호가 끝난 후 3초 대기
28 }
```

6) 아래는 모스 부호를 사용하여 "SOS" 신호를 LED로 전송하는 아두이노 프로그램의 소스 코드이다.

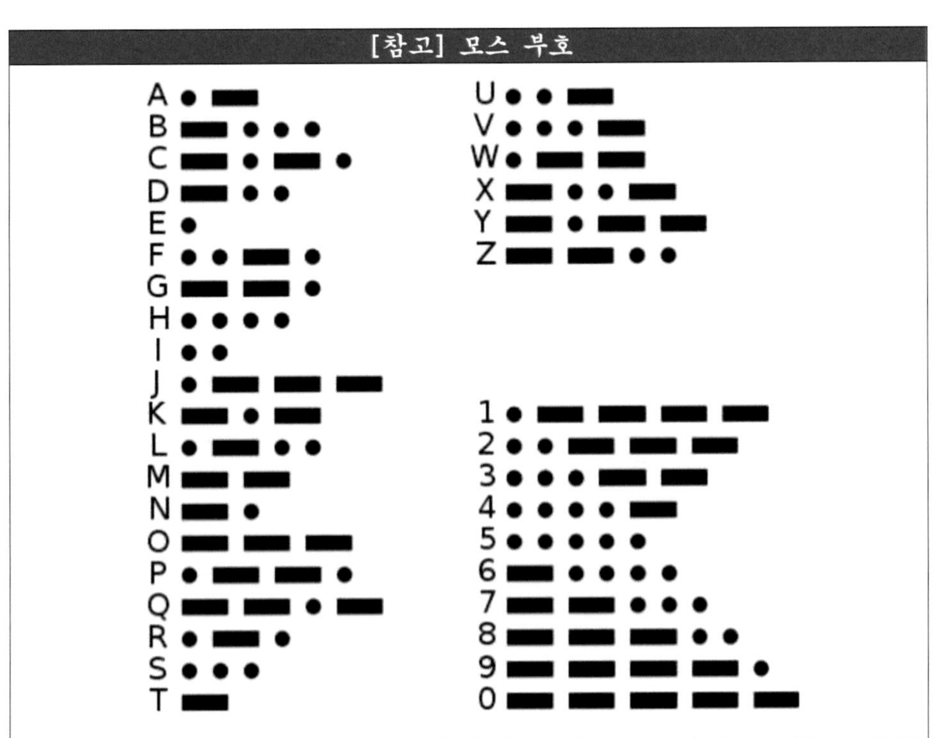

모스 부호는 짧은 신호(점 또는 단점)와 긴 신호(선 또는 장점)의 조합으로 문자를 표현하는 방식이다. 이는 로마자, 숫자, 한글 자모 등을 나타내는 데 사용된다. 자주 사용되는 문자는 더 간단한 신호로 표현된다. 모스 부호는 소리, 빛, 전류 등 다양한 매체를 통해 전달될 수 있다.

2.2.2. 디지털 핀을 이용한 전압 출력 ② 아날로그 출력

앞에서 살펴본 회로는 아두이노의 디지털 13번 핀을 이용하여 5V 전압을 공급하는 회로였다. 아두이노의 디지털 핀에서는 소스 코드를 작성하여 0V, 5V 등의 전압을 출력할 수 있으나 PWM 핀을 이용하면 0~5V 사이의 전압을 생성할 수 있다. 이를 위해서는 다음과 같이 PWM 핀에 LED를 연결하고 다음의 소스 코드를 작성하면 된다.

❂ 디지털 핀을 이용한 회로 구성 예시(아날로그 출력)

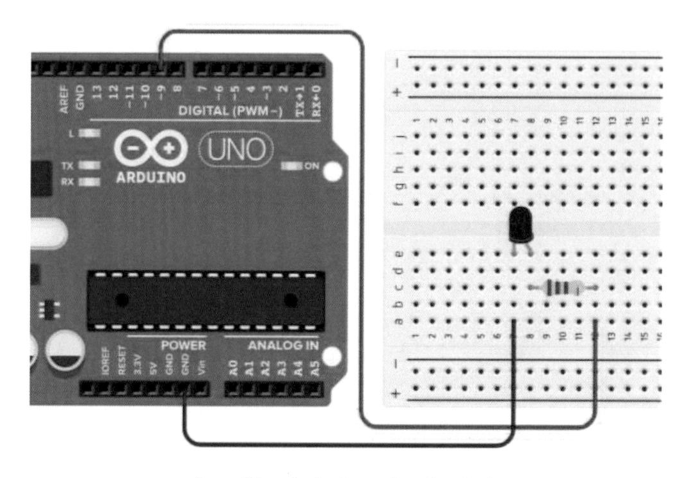

[그림] 디지털 9번 핀 연결

❂ 소스 코드

2.2.2.1. 예제

```
01  void setup() {
02    analogWrite(9, 0);
03    // analogWrite(9, 127);
04    // analogWrite(9, 256);
05  }
06  void loop() {
07  }
```

이 소스 코드는 아두이노에서 아날로그 신호를 사용하여 9번 핀의 출력을 조절하는 예제이다.

- 02줄 : 9번 핀에 아날로그 값 0을 출력한다. 아날로그 값 0은 PWM 신호에서 0% 듀티 사이클을 의미하며, 이는 핀에서 낮은(꺼진) 상태를 의미한다.
- 03-04줄 : 주석 처리된 analogWrite(9, 127);와 analogWrite(9, 255);는 예제로 제시되었으나, 현재 코드에서는 활성화되지 않는다. analogWrite(9, 127);는 PWM 신호에서 약 50% 듀티 사이클을 의미하며, analogWrite(9, 255);는 100% 듀티 사이클을 의미한다. 듀티 사이클이 높을수록 핀에서 출력되는 전압이 높아진다.

[함수] analogWrite()

analogWrite() 함수는 아두이노에서 아날로그 신호를 생성하는 데 사용되는 함수이다. 이 함수는 특정 디지털 핀에서 PWM(Pulse Width Modulation, 펄스 폭 변조) 신호를 생성하여 아날로그와 유사한 효과를 낼 수 있다. PWM 신호는 LED의 밝기를 조절하거나 모터의 속도를 제어하는 데 자주 사용된다.

analogWrite() 함수의 기본 구조는 다음과 같다.

```
analogWrite(pin, value);
```

- pin : PWM 신호를 보낼 핀의 번호이다. 모든 핀이 PWM을 지원하는 것은 아니므로, 아두이노 보드의 PWM이 가능한 핀을 확인해야 한다.
- value : PWM 신호의 듀티 사이클을 결정하는 값으로, 0에서 255 사이의 값이다. 이 값은 신호의 "켜짐" 상태를 얼마나 오래 유지할 것인지를 결정한다.

- 0은 항상 꺼진 상태를 의미한다 (0% 듀티 사이클).
- 255는 항상 켜진 상태를 의미한다 (100% 듀티 사이클).
- 중간 값들은 켜짐과 꺼짐의 비율을 나타낸다. 예를 들어, 127은 약 50%의 듀티 사이클을 가지며, 이는 LED의 밝기를 절반으로 줄이는 효과가 있다.

예를 들어, 9번 핀에 연결된 LED의 밝기를 줄이려면 다음과 같이 작성할 수 있다.

```
analogWrite(9, 127);
```

이 코드는 9번 핀에서 PWM 신호를 생성하여 LED의 밝기를 약 50%로 조절한다.

analogWrite() 함수를 사용할 때는 해당 핀이 PWM을 지원하는지 확인하는 것이 중요하다. 모든 디지털 핀이 PWM을 지원하지는 않으므로, 이전 절에서 제시한 PWM 가능 핀(~ 표시가 있는 핀)을 확인한다.

[실습] LED의 출력 신호(PWM핀)

아두이노 자동차 보드의 중앙 LED(디지털 3번 핀)를 제어하는 프로그램을 작성해 보자.

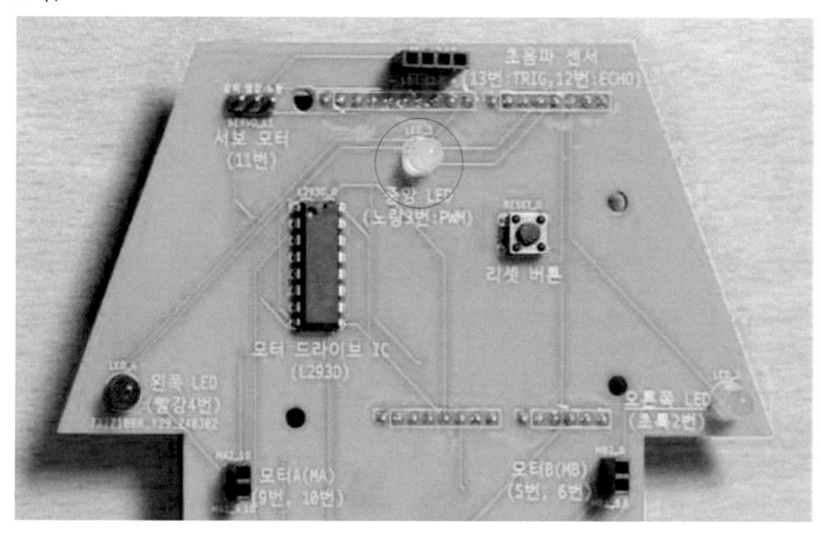

- 기본 밝기 조절 실습 : 아두이노의 analogWrite() 함수를 사용하여 LED의 밝기를 점진적으로 증가시키거나 감소시킨다.
- 페이드 효과 실습 : LED가 천천히 밝아졌다가 다시 어두워지는 '페이드' 효과를 만들어낸다. 밝기가 점차적으로 증가한 후 감소하는 과정을 반복하여 자연스러운 페이드 효과를 구현한다. 이를 구현하려면 for 반복문과 조건문을 활용해야 한다.
- 무작위 밝기 변화 실습 : LED의 밝기를 무작위로 변화시키는 실습이다. 아두이노의 random() 함수를 사용하여 무작위로 밝기 값을 생성하고, 이 값을 analogWrite() 함수에 적용하여 LED의 밝기를 조절한다.

기본 밝기 조절 실습 소스 코드

2.2.2.2. 예제

```
01  int brightness = 0; // 현재 밝기를 저장하는 변수, 초기값은 0
02
03  void setup() {
04    pinMode(3, OUTPUT);
05  }
06
07  void loop() {
08    analogWrite(3, brightness); // 현재 밝기로 LED를 켬
09    brightness += 20; // 밝기를 20씩 증가
10
11    if (brightness > 255) { // 밝기가 255를 초과하면
12      brightness = 0; // 밝기를 다시 0으로 설정
13    }
14
15    delay(500); // 변경 사항을 눈으로 확인할 수 있도록 지연 시간 추가
16  }
```

페이드 효과 실습 소스 코드

2.2.2.3. 예제

```
01  void setup() {
02    pinMode(3, OUTPUT);
03  }
04
05  void loop() {
06    // 밝기를 점진적으로 증가
07    for(int i = 0; i <= 255; i++) {
08      analogWrite(3, i);
09      delay(15);
10    }
11
12    // 밝기를 점진적으로 감소
13    for(int i = 255; i >= 0; i--) {
14      analogWrite(3, i);
15      delay(15);
16    }
17  }
```

무작위 밝기 변화 실습 소스 코드

2.2.2.4. 예제

```
01 void setup() {
02   pinMode(3, OUTPUT);
03 }
04
05 void loop() {
06   int brightness = random(0, 256); // 0에서 255 사이의 무작위 밝기값 생성
07   analogWrite(3, brightness);
08   delay(200);
09 }
```

제 3 장 풀다운 저항과 풀업 저항

풀다운 저항과 풀업 저항은 원래 디지털 전자 회로에서 주로 사용되는 저항을 의미한다. 이들 저항은 불확정한 상태의 입력을 방지하고 명확한 논리 상태를 유지하기 위해 사용된다. 아두이노는 다양한 전자 부품을 활용하여 메이킹 활동을 진행하는 데 일부 활동은 반드시 풀다운, 풀업 저항을 사용해야 정상적으로 작동한다. 그러나 풀다운 저항 또는 풀업 저항에 연결에 따라 실행 결과가 바뀌기 때문에 이에 대한 정확한 이해가 필요하다.

3.1. 풀다운 저항

풀 다운 저항은 입력 핀을 접지(GND)에 연결한다. 이를 통해 기본적으로 핀은 낮은 상태(LOW)를 유지한다. 스위치나 버튼이 눌러지면, 핀은 전원 공급(VCC)에 연결되어 높은 상태(HIGH)가 된다. 이 저항은 버튼이 눌려있지 않을 때 핀이 HIGH 상태를 갖지 않도록 한다.

3.2. 풀업 저항

풀업 저항은 입력 핀을 전원 공급(VCC)에 연결한다. 이 저항을 통해 입력 핀은 기본적으로 HIGH 상태가 된다. 스위치나 버튼이 눌러지면, 핀은 접지(GND)로 연결되고 LOW 상태가 된다.

풀업과 풀다운 저항의 주요 목적은 '플로팅' 상태[7]의 입력을 방지하는 것이다. 입력이 연결되지 않았거나 스위치와 같은 부품이 연결되었을 때, 입력은 플로팅 상태가 되고 노이즈에 의해 원치 않는 전압 변화가 발생할 수 있다. 풀업 또는 풀다운 저항을 사용하여 이러한 플로팅 상태의 입력을 방지하고 회로의 안정성을 확보할 수 있다.

3.3. LED의 풀다운, 풀업 연결

LED의 연결도 저항이 GND 쪽에 연결하는 것과 VCC(5V 또는 3.3V) 쪽에 연결하는 것에 따라 풀다운, 풀업 연결 방법이 있다. LED는 기본적으로 풀다운 연결 방법만 알아두면 되지만, 다른 전자 부품의 풀다운 저항과 풀업 저항 연결 방법의 이해를 돕기 위해 이에 관해 서술하였다.

3.3.1. LED의 풀다운 연결

회로 구성

다음은 LED의 +극을 13번 핀에, -극을 GND에 연결한 풀다운 회로이다. 여기에서 저항은 LED의 -극 또는 +극 어느 곳에 있어도 상관없다.

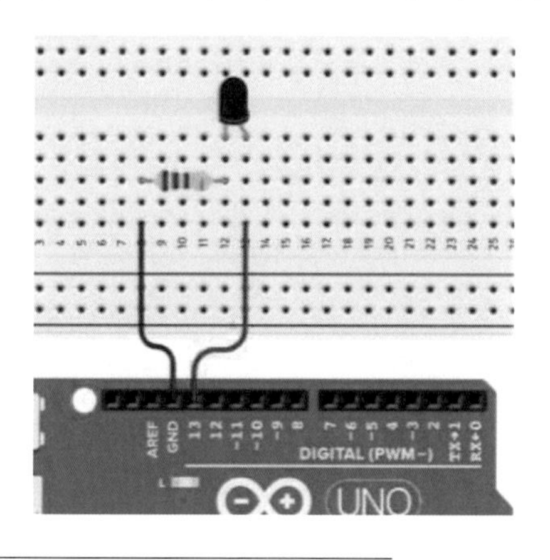

준비물

- 아두이노 우노
- LED
- 220Ω 저항
- 점퍼 와이어
- 브레드보드

회로 구성

- LED의 +극 핀을 아두이노의 13번 핀에 연결
- LED의 -극 다리에 220Ω 저항과 연결하고 이 저항을 아두이노의 GND 핀에 연결

7) 영어로 floating state이며 이는 정의되지 않은 상태를 의미한다.

소스 코드

3.3.1.1. 예제

```
01 void setup() {
02   pinMode(13, OUTPUT);
03   digitalWrite(13, HIGH);
04 }
05 void loop() {
06 }
```

실행 결과

13번 핀이 +극 역할을 하며 5V의 전압이 공급되어 LED의 불이 켜진다.

3.3.2. LED의 풀업 연결

회로 구성

다음은 LED의 +극을 VCC 핀에, -극을 13번 핀에 연결한 풀업 회로이다. 이 회로에서도 저항은 LED의 +극이나 -극에 연결해도 상관없다.

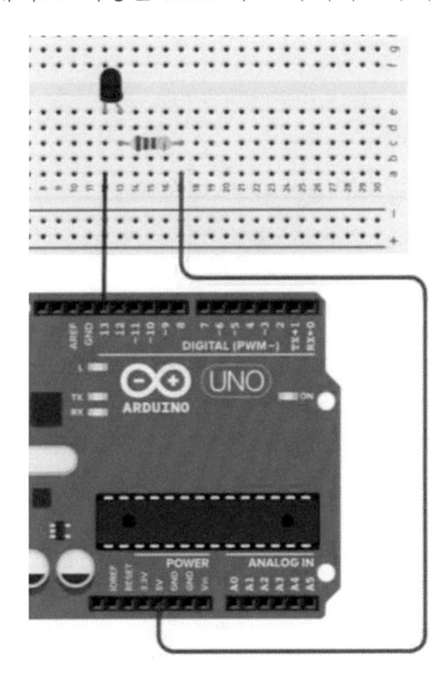

준비물

- 아두이노 우노
- LED
- 220Ω 저항
- 점퍼 와이어
- 브레드보드

회로 구성

- LED의 +극 핀을 220Ω 저항과 연결하고 이 저항을 아두이노의 5V 핀에 연결
- LED의 -극 핀을 아두이노의 GND 핀에 연결

◆ 소스 코드

3.3.2.1. 예제

```
01 void setup() {
02   pinMode(13, OUTPUT);
03   digitalWrite(13, HIGH);
04 }
05 void loop() {
06 }
```

◆ 실행 결과

13번 핀이 +극 역할을 하는 데 반대 쪽도 +5V 이므로 전류가 흐르지 않는다. 따라서 LED에는 전압이 공급되지 않으므로(0V) 불이 켜지지 않는다.

3.4. 버튼의 풀다운 저항, 풀업 저항 연결

버튼은 풀다운 저항과 풀업 저항을 사용하는 전자 부품 중 하나이다. 버튼의 상태가 명확하지 않을 때, 즉 버튼이 열려 있을 때 입력 단자가 연결되지 않은 상태가 되면, 이 단자는 고정되지 않은 상태, 즉 '플로팅' 상태가 될 수 있다. 이렇게 되면 노이즈에 의해 무작위로 HIGH 또는 LOW 신호로 간주 될 수 있어 예측할 수 없는 동작을 일으킬 수 있다. 이러한 플로팅 현상을 방지하기 위해 풀업 또는 풀다운 저항을 사용하여 입력 단자를 전원 또는 접지에 연결한다. 따라서 버튼을 사용할 때는 플로팅 현상을 방지하기 위해 해당 저항을 적절히 사용하는 것이 중요하다.

3.4.1. 버튼의 풀다운 저항 연결

회로 구성

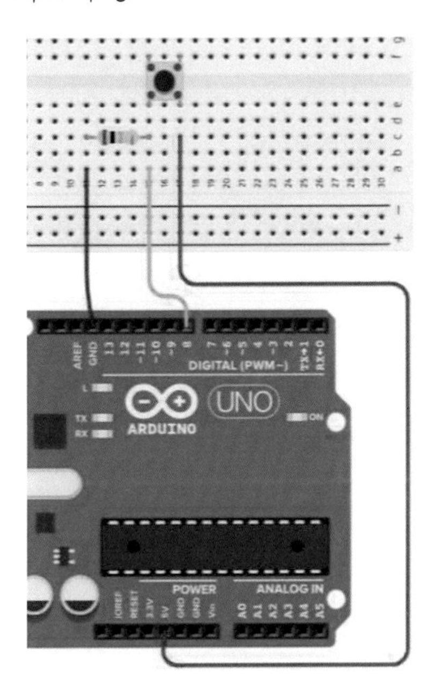

⇢ 준비물

- 아두이노 우노
- 누름 버튼
- 1kΩ 저항
- 점퍼 와이어
- 브레드보드

⇢ 회로 구성

- 누름 버튼의 오른쪽 핀을 아두이노의 5V 핀에 연결
- 누름 버튼의 왼쪽 핀을 아두이노의 8번 핀에 연결, 이 핀에 1kΩ 저항을 연결하고 이 저항을 GND 핀에 연결

소스 코드

3.4.1.1. 예제

```
01 void setup() {
02   Serial.begin(9600);
03   pinMode(8, INPUT);
04 }
05 void loop() {
06   Serial.println(digitalRead(8));
07 }
```

이 소스 코드는 아두이노에서 8번 핀의 디지털 입력 상태를 읽어 시리얼 모니터에 출력하는 예제이다.

- 02줄 : 시리얼 통신을 시작하며, 9600 보드레이트(baud rate)로 통신 속도를 설정한다. 이를 통해 아두이노와 컴퓨터 간의 데이터 통신이 가능하다.

- 03줄 : 8번 핀을 입력 모드로 설정한다. 이는 이 핀을 통해 외부에서 오는 디지털 신호(예 : 버튼의 상태)를 읽기 위해 사용된다.
- 06줄 : 8번 핀에서 읽은 디지털 값을 시리얼 모니터에 출력한다. digitalRead(8);은 8번 핀의 상태를 HIGH(1) 또는 LOW(0)로 읽는다. 8번 핀이 풀다운 저항으로 연결되었기 때문에 해당 핀이 HIGH 상태라면 1을, LOW 상태라면 0을 반환한다. 이 값은 시리얼 모니터에 출력되어 사용자가 확인할 수 있다.

실행 결과

위 소스 코드의 실행 결과는 시리얼 모니터[8]에서 확인할 수 있다. 8번 핀에 버튼이 연결되어 있으므로, 버튼을 누르면 HIGH 상태가 되어 1이 출력되고, 버튼을 놓으면 HIGH 상태가 되어 0이 출력된다.

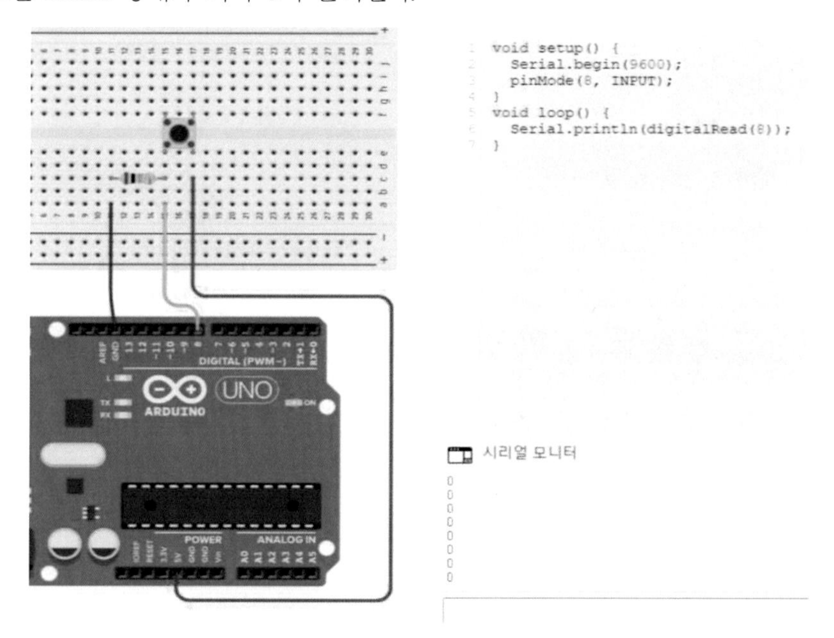

[그림] 풀다운 저항 회로 연결, 버튼을 누르지 않을 때 0 출력

8) 컴퓨터와 아두이노 간의 시리얼 통신을 위한 간단한 텍스트 기반 인터페이스이다. 시리얼 모니터를 사용하면 사용자는 아두이노로부터 전송된 데이터를 실시간으로 확인할 수 있으며, 반대로 아두이노에 데이터를 전송할 수도 있다. 시리얼 모니터를 시작하려면 아두이노 IDE의 상단 메뉴에서 '도구'를 클릭한 후 '시리얼 모니터'를 선택하면 되고, 틴커캐드의 경우 하단의 '시리얼 모니터'를 선택하면 된다.

[함수] Serial.begin (), Serial.println()

Serial.begin()과 Serial.println()은 아두이노의 시리얼 통신을 위한 함수들이다.

- Serial.begin()

Serial.begin() 함수는 아두이노 보드의 시리얼 포트를 초기화하고, 데이터 통신을 시작하는 데 사용된다.

이 함수는 시리얼 통신의 전송 속도(baud rate)를 설정하는 매개변수를 받는다. baud rate는 초당 전송되는 비트의 수를 의미하며, 일반적인 값으로는 9600, 14400, 19200, 28800, 38400, 57600, 115200 등이 있다.

- Serial.println()

Serial.println() 함수는 데이터를 시리얼 포트로 보내고, 그 끝에 줄바꿈 문자(엔터 기능)를 추가하여 전송한다. 이를 통해 데이터를 읽기 쉽게 만들 수 있다.

이 함수는 다양한 형태의 매개변수를 받을 수 있다(문자열, 숫자, 변수 등).

```
Serial.println("Hello, Arduino!");
```

이 코드는 "Hello, Arduino!"라는 문자열을 시리얼 포트로 보내고 줄바꿈한다. 이를 통해 컴퓨터의 시리얼 모니터나 다른 시리얼 통신을 사용하는 장치에서 문자열을 읽을 수 있다.

[함수] digitalRead()

digitalRead() 함수는 아두이노의 특정 디지털 핀에서 신호를 읽는 데 사용된다. 주로 버튼, 스위치, 센서와 같은 외부 장치로부터의 디지털 입력을 감지하는 데 쓰인다.

digitalRead() 함수의 기본 구조는 다음과 같다.

```
digitalRead(pin);
```

- pin : 읽을 디지털 핀의 번호이다. 아두이노 보드에는 여러 개의 디지털 핀이 있으며, 이들 각각은 고유한 번호를 가진다.
- 반환값 : 핀의 상태를 나타내는 값이며, HIGH 또는 LOW 중 하나이다. HIGH는 핀에 전압이 있음을 나타내며, 보통은 5V인 경우를 말한다. LOW는 핀에 전압이 없음을 나타내며, 0V에 해당한다.

digitalRead() 함수를 사용하기 전에 해당 핀을 입력 모드로 설정하는 것이 중요하다. 이를 위해 pinMode(pin, INPUT) 또는 pinMode(pin, INPUT_PULLUP) 함수를 사용하여 핀을 올바르게 설정해야 한다.

[실습] 버튼의 입력 신호

아두이노 자동차 보드에는 버튼(디지털 8번 핀)을 풀다운 저항으로 연결하였다. 앞서 제시된 소스 코드를 이용하여 버튼을 눌렀을 때 생성되는 신호를 시리얼 모니터에서 확인해 보자.

3.4.2. 버튼의 풀업 저항 연결

회로 구성

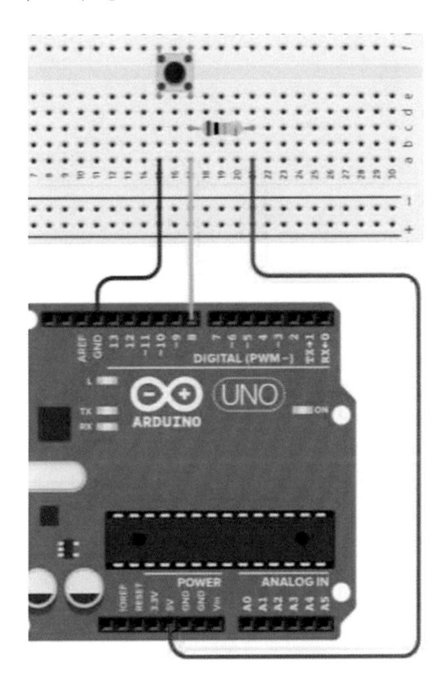

준비물

- 아두이노 우노
- 누름 버튼
- 1kΩ 저항
- 점퍼 와이어
- 브레드보드

회로 구성

- 누름 버튼의 오른쪽 핀을 아두이노의 8번 핀에 연결, 이 핀에 1kΩ 저항을 연결하고 이 저항을 5V 핀에 연결
- 누름 버튼의 왼쪽 핀을 아두이노의 GND 핀에 연결

소스 코드

3.4.2.1. 예제

```
01 void setup() {
02   Serial.begin(9600);
03   pinMode(8, INPUT);
04 }
05 void loop() {
06   Serial.println(digitalRead(8));
07 }
```

이 소스 코드는 이전과 동일한 아두이노에서 8번 핀의 디지털 입력 상태를 읽어 시리얼 모니터에 출력하는 예제이다.

- 06줄 : 8번 핀이 풀업 저항으로 연결되었기 때문에 해당 핀이 HIGH 상태라면 0을, LOW 상태라면 1을 반환한다.

실행 결과

이전 풀다운 저항 연결에서의 소스 코드와 동일하다. 그러나 풀업 저항으로 회로를 구성하였기 때문에 시리얼 모니터에서 출력값은 반대가 된다. 즉, 버튼을 누르면 0이 출력되고, 버튼을 놓으면 1이 출력된다.

3.4.3. 버튼의 내부 풀업 저항 연결

아두이노에는 내부 풀업 저항이 포함되어 있다. 이를 이용하면 외부 풀업 저항을 사용하지 않기 때문에 이전 보다 간결하게 회로를 구성할 수 있다. 그러나 이때 소스 코드의 일부를 수정해야 한다.

회로 구성

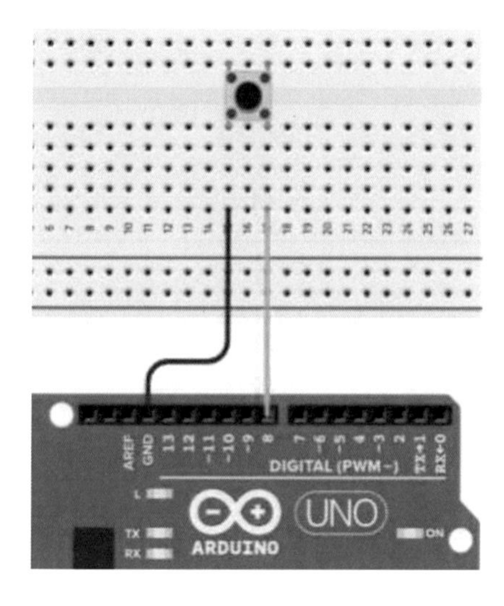

준비물

- 아두이노 우노
- 누름 버튼
- 점퍼 와이어
- 브레드보드

회로 구성

- 누름 버튼의 왼쪽 핀을 아두이노의 8번 핀에 연결
- 누름 버튼의 오른쪽 핀을 아두이노의 GND 핀에 연결

⊕ 소스 코드

3.4.3.1. 예제

```
01 void setup() {
02   Serial.begin(9600);
03   pinMode(8, INPUT_PULLUP);
04 }
05 void loop() {
06   Serial.println(digitalRead(8));
07 }
```

이 소스 코드는 아두이노에서 8번 핀의 디지털 입력 상태를 읽어 시리얼 모니터에 출력하는 예제이며, 특히 8번 핀을 내부 풀업 저항을 사용하는 입력 모드로 설정한다.

- 03줄 : 8번 핀을 내부 풀업 저항을 사용하는 입력 모드(INPUT_PULLUP)로 설정한다. 이 설정은 내장 풀업 저항을 활성화 하기 때문에 외부의 풀업 저항을 연결할 필요가 없다.

⊕ 실행 결과

이전 외부 풀업 저항을 연결했을 때와 실행 결과는 동일하다. 즉, 버튼을 누르면 0이 출력되고, 버튼을 놓으면 1이 출력된다.

3.5. 빛 센서의 풀다운 저항, 풀업 저항 연결

앞서 살펴본 버튼에서 풀다운 및 풀업 저항의 사용은 디지털 신호 입력 시 플로팅 현상을 방지하기 위한 것이었다. 이와 유사하게 빛 센서와 같은 아날로그 신호를 수집하는 부품에도 풀다운 또는 풀업 저항을 사용하여 회로를 구성할 수 있다. 이러한 회로 구성에서 수집된 신호의 출력 결과를 확인해 보면 차이가 있는데 어떠한 차이점이 있는지 확인해 보자.

3.5.1. 빛 센서의 풀다운 저항 연결

빛 센서를 풀다운 저항으로 연결하면 빛이 강할 때 높은 수치가, 빛이 약할 때 낮은 수치가 출력된다.

회로 구성

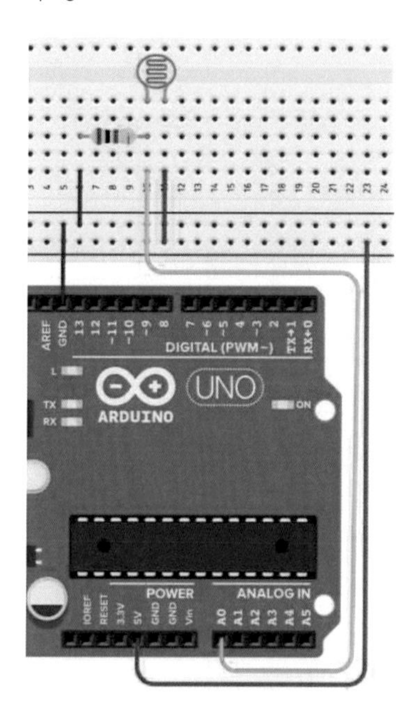

준비물

- 아두이노 우노
- 빛 센서
- 1kΩ 저항
- 점퍼 와이어
- 브레드보드

회로 구성

- 빛 센서의 오른쪽 핀을 아두이노의 5V에 연결
- 빛 센서의 왼쪽 핀을 아두이노의 A0 핀과 1kΩ 저항에 연결
- 1kΩ 저항의 다른 핀을 아두이노의 GND 핀에 연결

소스 코드

3.5.1.1. 예제

```
01 void setup() {
02     Serial.begin(9600);
03 }
04 void loop() {
05     Serial.println(analogRead(A0));
06 }
```

이 소스 코드는 아두이노에서 A0 아날로그 핀에서 읽은 값을 시리얼 모니터에 출력하는 예제이다.

- 06줄 : A0 아날로그 핀에서 읽은 값을 시리얼 모니터에 출력한다. analogRead(A0)는 A0 핀에서 0에서 1023 사이의 값을 읽는다. 이 값은 A0 핀에 연결된 전압에 비례한다.

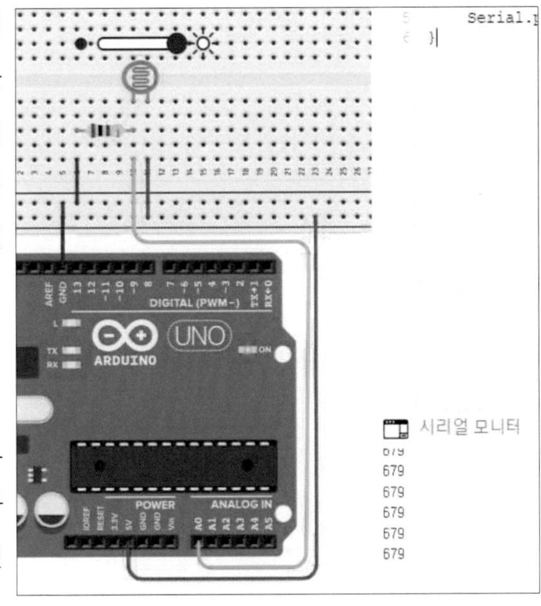

[그림] 풀업 저항 연결 회로의 실행 결과

실행 결과

빛이 강해지면 높은 수치가 나오고 빛이 약해지면 낮은 수치가 나오는 것을 시리얼 모니터로 확인할 수 있다.

[실습] 빛 센서의 입력 신호

아두이노 자동차 보드에는 빛 센서(아날로그 A0 핀)를 풀다운 저항으로 연결하였다. 앞서 제시된 소스 코드를 이용하여 빛의 세기에 따라 변하는 신호를 시리얼 모니터에서 확인해 보자.

3.5.2. 빛 센서의 풀업 저항 연결

빛 센서를 풀업 저항으로 연결하면 빛이 강할 때 낮은 수치가, 빛이 약할 때 높은 수치가 출력된다.

회로 구성

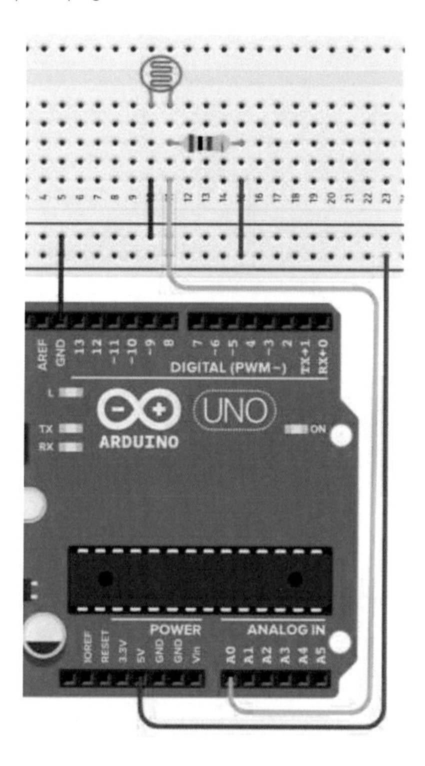

준비물

- 아두이노 우노
- 빛 센서
- 1kΩ 저항
- 점퍼 와이어
- 브레드보드

회로 구성

- 빛 센서의 왼쪽 핀을 아두이노의 GND 핀에 연결
- 빛 센서의 오른쪽 핀을 아두이노의 A0 핀과 1kΩ 저항에 연결
- 1kΩ 저항의 다른 핀을 아두이노의 5V 핀에 연결

소스 코드

3.5.2.1. 예제

```
01  void setup() {
02      Serial.begin(9600);
03  }
04  void loop() {
05      Serial.println(analogRead(A0));
06  }
```

이 소스 코드는 아두이노에서 A0 아날로그 핀에서 읽은 값을 시리얼 모니터에 출력하는 예제로, 앞서 살펴본 소스 코드와 동일한 내용이다.

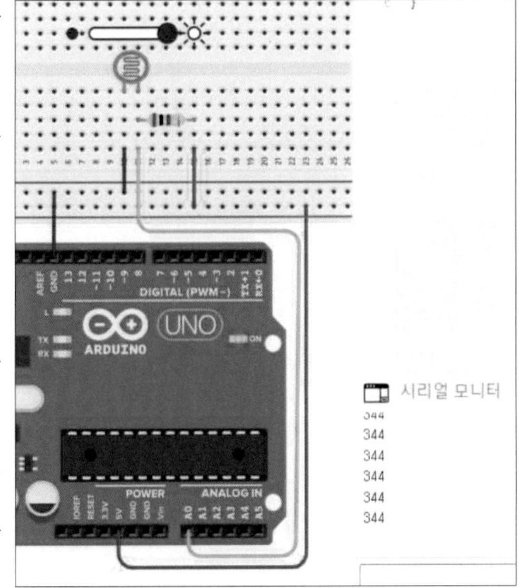

[그림] 풀업 저항 연결 회로의 실행 결과

❂ 실행 결과

빛이 강해지면 낮은 수치가 나오고 빛이 약해지면 높은 수치가 나오는 것을 시리얼 모니터로 확인할 수 있다. 즉, 풀다운 저항 연결 회로와 반대로 출력된다.

[함수] analogRead()

analogRead() 함수는 아두이노에서 아날로그 신호를 읽는 데 사용되는 함수이다. 이 함수는 아두이노 보드의 아날로그 입력 핀에서 전압을 읽고, 그 값을 0에서 1023 사이의 숫자로 변환한다. 이 기능은 센서에서 아날로그 데이터를 읽거나, 가변 저항과 같은 장치의 상태를 감지하는 데 유용하다.

analogRead() 함수의 기본 구조는 다음과 같다.

```
analogRead(pin);
```

- pin : 읽을 아날로그 핀의 번호이다. 아두이노 보드에는 여러 개의 아날로그 핀이 있다(아두이노 우노의 경우 A0~A5).
- 반환값 : 핀에서 읽은 아날로그 전압을 0에서 1023 사이의 값으로 변환한 것이다. 이 값은 입력 전압에 대응한다. 아두이노는 일반적으로 0V를 0으로, 기준 전압(5V)을 1023으로 매핑한다.

analoglRead() 함수는 사용하기 전에 해당 핀을 입력 모드로 설정할 필요가 없다.

제 4 장 전자 부품 제어 예제

앞서 살펴본 LED, 버튼, 빛 센서 등 기본 부품의 회로 구성에 대해 살펴보았다. 이들은 부품의 저항을 기본적으로 사용하지만, 다른 부품들은 저항이 필요한 경우도 있고 필요하지도 않은 경우도 있다. 특히, 저항이 필요한 경우는 이전 장에서 설명한 풀다운 저항, 풀업 저항 회로 구성 방법을 확인하면서 회로를 구성해야 한다. 또한, 일부 부품의 경우는 해당 부품에 맞는 소스 코드를 작성해야 작동한다. 이 교재에서 사용할 주요 부품들의 간단한 특징을 살펴본 후 이들을 기반으로 한 예제를 살펴보자.

4.1. 전자 부품의 종류

4.1.1. 신호의 입력 관련 부품

- 버튼

누름 버튼

- 저항류

가변 저항

센서류

빛 센서
(포토레지스터)

초음파 센서(거리 센서)

4.1.2. 신호의 출력 관련 부품

LED

LED

부저

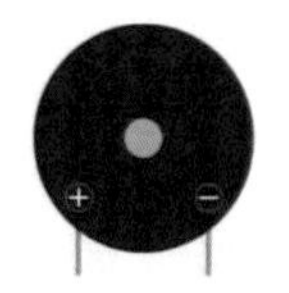

피에조 부저

모터류

기어드 모터(하비 기어 모터)

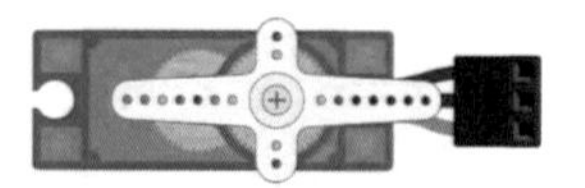

서보 모터(마이크로 서보)

모터 드라이브

L293D IC(H-브리지
모터 드라이브)

4.1.3. 전자 부품별 회로 구성 요약

아두이노에서 사용되는 전자 부품의 연결 핀 영역, 주로 사용되는 함수나 필요한 라이브러리, 사용되는 저항에 대해 요약하면 다음 표와 같다.

구분	전자 부품명	핀 영역	사용 함수/라이브러리	사용 저항
입력 기능 부품	누름 버튼	디지털 I/O 핀	digitalRead();	1kΩ
	가변 저항	아날로그 입력 핀	analogRead();	X
	빛 센서 (포토레지스터)	아날로그 입력 핀	analogRead();	1kΩ
	초음파 센서	디지털 I/O 핀	digitalRead();	X
출력 기능 부품	피에조 부저	디지털 I/O 핀	tone();	X
	LED	디지털 I/O 핀	digitalWrite(); analogWrite();	220Ω
	DC 모터	디지털 I/O 핀	digitalWrite(); analogWrite();	X
	서보 모터	디지털 I/O 핀	#include <Servo.h>	X

4.2. 가변 저항

4.2.1. 회로 구성 및 소스 코드

가변 저항(포텐셔미터)은 저항 값을 사용자가 조절할 수 있는 부품이다. 가변 저항은 회전 막대를 통해 저항 값을 조절할 수 있으며, 이를 통해 전압, 전류, 신호의 강도를 제어할 수 있다.

회로 구성

준비물

- 아두이노 우노
- 가변 저항
- 점퍼 와이어

핀 연결

- 가변 저항의 왼쪽 핀을 아두이노의 GND 핀에 연결
- 가변 저항의 오른쪽 핀을 아두이노의 5V 핀에 연결
- 가변 저항의 중앙 핀을 아두이노의 A0 핀에 연결

소스 코드

4.2.1.1. 예제

```
01  int potPin = A0;
02
03  void setup() {
04    Serial.begin(9600);
05  }
06
07  void loop() {
08    int potValue = analogRead(potPin);
09    Serial.println(potValue);
10    delay(500);
11  }
```

이 소스 코드는 아두이노의 A0 핀에 연결된 가변 저항의 아날로그 값을 읽어 시리얼 모니터에 주기적으로 출력하는 예제이다.

- 01줄 : A0 아날로그 핀을 potPin이라는 이름의 변수로 선언한다. 이는 코드 내에서 A0 핀을 참조할 때 사용된다.
- 08줄 : potPin에 연결된 가변 저항에서 아날로그 값을 읽어 potValue라는 변수에 저장한다. 이 값은 0에서 1023 사이의 범위를 가지며, 가변 저항의 위치에 따라 변한다.
- 09줄 : potValue에 저장된 값을 시리얼 모니터에 출력한다. 이를 통해 가변 저항의 위치 변화를 시각적으로 확인할 수 있다.

실행 결과

이 코드를 실행하면 가변 저항을 회전시키면서 저항 값을 변경할 때마다 그에 해당하는 아날로그 값을 시리얼 모니터에 0.5초 간격으로 출력하게 된다.

[실습] 가변 저항의 입력 신호

앞서 제시된 소스 코드를 이용하여 가변 저항(아날로그 A1번 핀)을 돌려 보면서 생성되는 신호가 어떻게 바뀌는지 시리얼 모니터에서 확인해 보자.

4.2.2. 응용 예제

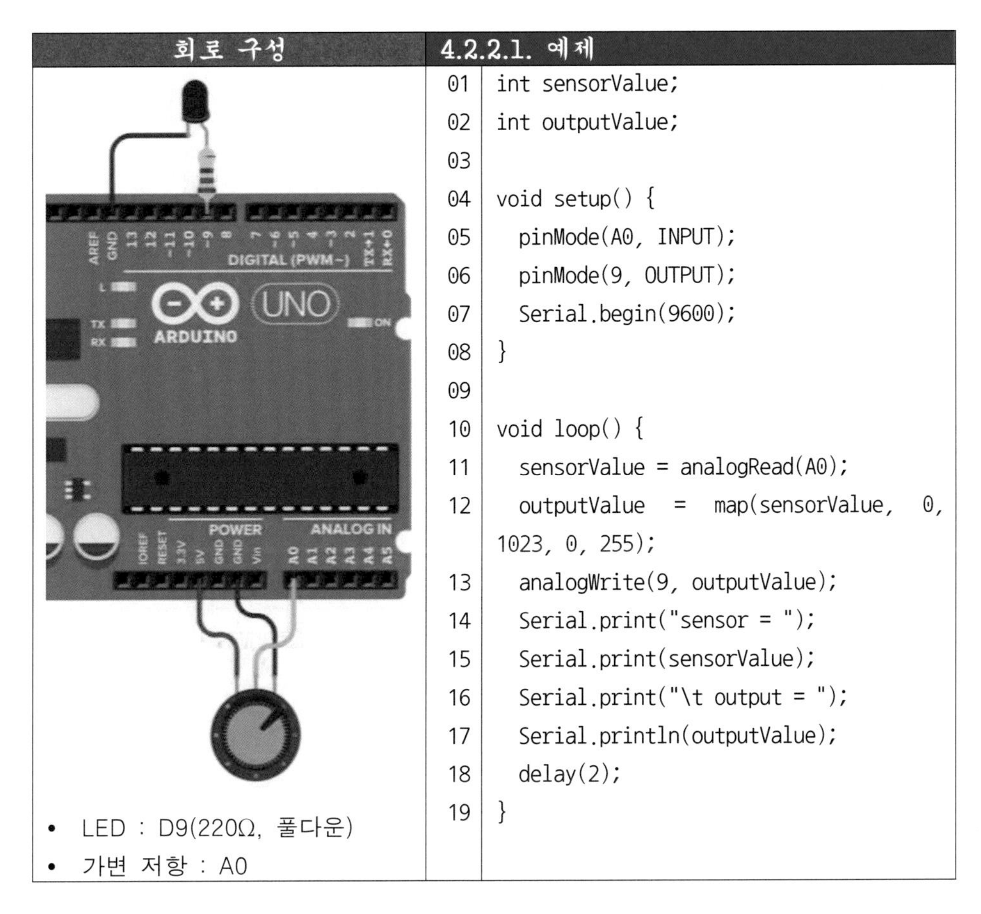

회로 구성	4.2.2.1. 예제

```
01 int sensorValue;
02 int outputValue;
03
04 void setup() {
05   pinMode(A0, INPUT);
06   pinMode(9, OUTPUT);
07   Serial.begin(9600);
08 }
09
10 void loop() {
11   sensorValue = analogRead(A0);
12   outputValue = map(sensorValue, 0, 1023, 0, 255);
13   analogWrite(9, outputValue);
14   Serial.print("sensor = ");
15   Serial.print(sensorValue);
16   Serial.print("\t output = ");
17   Serial.println(outputValue);
18   delay(2);
19 }
```

- LED : D9(220Ω, 풀다운)
- 가변 저항 : A0

이 소스 코드는 아두이노에 연결된 가변 저항으로부터 값을 읽어, 해당 값을 PWM 신호로 변환하여 LED를 제어하는 예제이다.

- 01줄 : 가변 저항에서 읽은 값을 저장하는 변수를 정의한다.
- 02줄 : 변환된 PWM 값(0~255 범위)을 저장하는 변수를 정의한다.
- 05줄 : A0 핀을 아날로그 입력 모드로 설정한다. 이 핀은 센서 값을 읽는 데 사용된다.
- 06줄 : 9번 핀을 디지털 출력 모드로 설정한다. 이 핀은 PWM 신호를 출력하는 데 사용된다.
- 11줄 : A0 핀에서 가변 저항값을 읽어 sensorValue 변수에 저장한다. 이 값은 0에서 1023 사이의 범위를 가진다.

- 12줄 : map() 함수를 사용하여 sensorValue를 0~255 범위로 변환한다. 이렇게 변환된 값은 PWM 출력을 위한 값으로 사용된다.
- 13줄 : 변환된 PWM 값을 9번 핀에 출력한다.

이 코드를 실행하면 아두이노는 가변 저항의 값을 읽어, 그 값을 0에서 255 사이의 값으로 변환하여 9번 핀을 통해 PWM 신호로 출력한다. 이를 통해 센서 값에 따라 LED의 밝기를 조절할 수 있다.

[함수] map()

map() 함수는 아두이노에서 값을 한 범위에서 다른 범위로 변환하는 데 사용되는 함수이다. 이 함수는 주로 센서 값이나 다른 입력을 특정 범위의 출력 값으로 변환할 때 유용하다. 예를 들어, 아날로그 입력을 다른 범위의 값으로 변환하거나, 모터의 속도를 조절하는 데 사용할 수 있다.

map() 함수의 기본 구조는 다음과 같다.

```
int mappedValue = map(value, fromLow, fromHigh, toLow, toHigh);
```

- value : 변환하려는 값이다.
- fromLow와 fromHigh : 현재 value의 범위를 나타낸다. 예를 들어, 아날로그 읽기 값의 경우 이 범위는 일반적으로 0에서 1023이다.
- toLow와 toHigh : value를 변환하고자 하는 새로운 범위이다. 예를 들어, 모터 속도를 0에서 255로 제어하려면 이 범위를 사용할 수 있다.
- 반환값 : value를 새로운 범위로 변환한 값이다.

예를 들어, 아날로그 입력 핀에서 읽은 값(0에서 1023 사이)을 0에서 255 사이의 값으로 변환하려면 다음과 같이 작성할 수 있다.

```
int sensorValue = analogRead(A0);
int outputValue = map(sensorValue, 0, 1023, 0, 255);
```

이 코드는 A0 핀에서 읽은 아날로그 값 sensorValue를 0에서 255 사이의 값 outputValue로 변환한다. 이렇게 변환된 값은 LED의 밝기 조절이나 모터 속도 제어 등에 사용될 수 있다.

[실습] 가변 저항으로 LED 밝기 제어

앞서 제시된 소스 코드를 이용하여 가변 저항(아날로그 A1번 핀)으로 중앙 LED (디지털 3번 핀)의 밝기를 제어하는 프로그램을 작성해 보자.

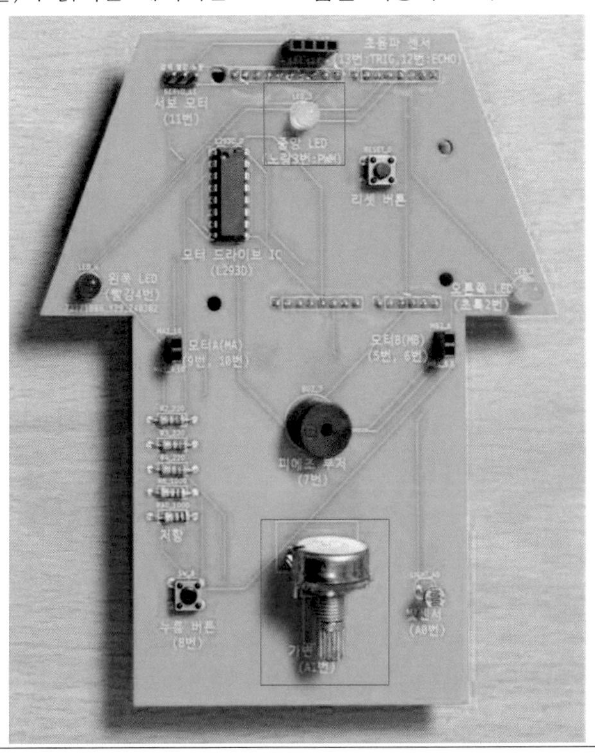

4.3. 초음파 센서

4.3.1. 회로 구성 및 소스 코드

초음파 센서는 물체와의 거리를 초음파를 통해 측정하는 부품으로, HC-SR04는 그 중에서도 아두이노와 호환되어 널리 활용되는 모델이다.

이 센서의 작동 원리는 다음과 같다. 먼저, 트리거(Trigger)핀은 초음파 센서에 초음파를 발사하라는 신호를 보낸다. 이때, 초음파는 물체에 부딪히면 에코(Echo)핀으로 반사되어 돌아온다. 아두이노에서 pulseIn() 함수를 사용하여 에코핀이 HIGH 상태를 유지하는 시간(즉, 초음파가 발사되고 반사되어 돌아오는 데 걸리는 시간)을 측정한다. 이 시간을 사용하여 거리를 계산하는데, 계산된 거리는 왕복 시간을 기반으로 하므로 결과를 2로 나눈다. 계산된 거리를 시리얼 모니터에 출력하여 확인할 수 있다.

회로 구성[9]

준비물
- 아두이노 우노
- 초음파 센서(HC-SR04)
- 점퍼 와이어

핀 연결
- 초음파 센서의 VCC 핀을 아두이노의 5V 핀에 연결
- 초음파 센서의 GND 핀을 아두이노의 GND에 연결
- 초음파 센서의 Trig 핀을 아두이노의 9번 핀에 연결
- 초음파 센서의 Echo 핀을 아두이노의 10번 핀에 연결

9) 틴커캐드에서 HC-SR04는 부품의 구성 요소를 '모두'로 선택해야 해당 부품이 제시된다.

소스 코드

4.3.1.1. 예제

```
01  int trigPin = 9;
02  int echoPin = 10;
03
04  void setup() {
05    Serial.begin(9600);
06    pinMode(trigPin, OUTPUT);
07    pinMode(echoPin, INPUT);
08  }
09
10  void loop() {
11    digitalWrite(trigPin, LOW);
12    delayMicroseconds(2);
13
14    digitalWrite(trigPin, HIGH);
15    delayMicroseconds(10);
16    digitalWrite(trigPin, LOW);
17
18    long duration = pulseIn(echoPin, HIGH);
19
20    float distance = duration * 0.0343 / 2;
21
22    Serial.print("Distance: ");
23    Serial.print(distance);
24    Serial.println(" cm");
25
26    delay(1000);
27  }
```

이 소스 코드는 초음파 센서를 사용하여 거리를 측정하고, 그 결과를 시리얼 모니터에 출력하는 예제이다.

- 01-02줄 : 각각 초음파 센서의 트리거 핀과 에코 핀을 아두이노의 9번 및 10번 핀에 연결한다는 것을 나타낸다. 이 핀들은 거리 측정에 사용된다.
- 06줄 : 트리거 핀을 출력 모드로 설정한다. 이 핀은 초음파 신호를 발생시키는 데 사용된다.

- 07줄 : 에코 핀을 입력 모드로 설정한다. 이 핀은 반사된 초음파 신호를 감지하는 데 사용된다.
- 11-12줄 : 트리거 핀을 LOW 상태로 설정하고 2 마이크로초 동안 유지한다. 이는 초음파 신호를 보내기 전에 트리거 핀을 초기화하는 데 필요하다.
- 14-16줄 : 트리거 핀을 높은 상태로 설정하고 10 마이크로초 동안 유지한 후 다시 LOW 상태로 설정한다. 이 과정은 초음파 신호를 발생시키는 데 사용된다.
- 18줄 : pulseIn() 함수를 이용하여 에코 핀에서 HIGH 신호(반사된 초음파)의 지속 시간을 마이크로초 단위로 측정한다.
- 20줄 : 측정된 시간을 거리로 변환하기 위해 속도 = 거리 / 시간 공식을 사용한다. 즉, 거리를 계산하기 위해 측정된 시간(duration)에 초음파의 속도를 곱하고 2로 나눈다(왕복 시간이므로). 여기서는 공기 중의 초음파 속도를 대략 343m/s로 가정한다. 이 값을 cm/ms로 변환하면 약 0.0343이다.
- 22-24줄 : Serial.print () 함수와 Serial.println() 함수를 사용하여 측정된 거리를 "Distance: [거리] cm" 형식으로 시리얼 모니터에 출력한다.

실행 결과

이 코드를 실행하면 아두이노와 연결된 HC-SR04 초음파 센서를 사용하여 주기적으로 거리를 측정하고, 측정된 거리값을 시리얼 모니터에 출력한다.

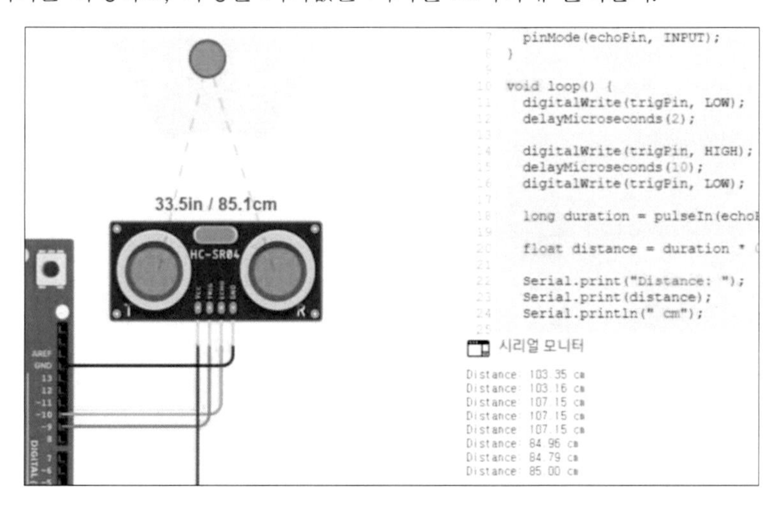

[함수] pulseIn()

pulseIn() 함수는 아두이노에서 특정 핀에서의 펄스(고 또는 저 전압 신호)의 지속 시간을 측정하는 데 사용되는 함수이다. 이 함수는 주로 초음파 센서, IR 센서와 같이 펄스를 기반으로 동작하는 장치의 신호를 읽을 때 유용하다.

pulseIn() 함수의 기본 구조는 다음과 같다.

```
long duration = pulseIn(pin, value);
```

- pin : 펄스를 읽을 디지털 핀의 번호이다.
- value : 정하고자 하는 펄스의 타입이다. HIGH는 고 전압(5V)의 펄스를 측정하고, LOW는 저 전압(0V)의 펄스를 측정한다.
- 반환값 : duration은 펄스의 길이를 마이크로초(1초=1,000,000 마이크로초) 단위로 나타낸 값이다. 만약 만약 펄스가 시작되지 않거나 지정된 시간 내에 펄스가 끝나지 않으면 0을 반환한다.

[실습] 초음파 센서의 입력 신호

앞서 제시된 소스 코드를 이용하여 초음파 센서(ECHO : 디지털 13번 핀, TRIG : 디지털 12번 핀)에서 측정된 거리를 시리얼 모니터에서 확인해 보자.

4.3.2. 응용 예제 1

회로 구성

- LED : D2, D3, D4
- 초음파 센서 : ECHO-D3, TRIG-D4

4.3.2.1. 예제

```
01 int trigPin = 13;
02 int echoPin = 12;
03 int greenLed = 2;
04 int yellowLed = 3;
05 int redLed = 4;
06
07 void setup() {
08   pinMode(echoPin, INPUT);
09   pinMode(trigPin, OUTPUT);
10   pinMode(greenLed, OUTPUT);
11   pinMode(yellowLed, OUTPUT);
12   pinMode(redLed, OUTPUT);
13 }
14
15 void loop() {
16   digitalWrite(trigPin, LOW);
17   delayMicroseconds(2);
18   digitalWrite(trigPin, HIGH);
19   delayMicroseconds(10);
20   digitalWrite(trigPin, LOW);
21   long dist = (pulseIn(echoPin, HIGH)) / 56.2;
22
23   if (dist < 10) {
24     digitalWrite(greenLed, LOW);
25     digitalWrite(yellowLed, LOW);
26     digitalWrite(redLed, HIGH);
27   } else if (dist < 20) {
28     digitalWrite(greenLed, LOW);
29     digitalWrite(yellowLed, HIGH);
30     digitalWrite(redLed, LOW);
31   } else if (dist < 30) {
32     digitalWrite(greenLed, HIGH);
33     digitalWrite(yellowLed, LOW);
34     digitalWrite(redLed, LOW);
35   } else {
36     digitalWrite(greenLed, LOW);
37     digitalWrite(yellowLed, LOW);
38     digitalWrite(redLed, LOW);
39   }
40 }
```

이 소스 코드는 초음파 센서를 사용하여 거리를 측정하고, 측정된 거리에 따라 다른 색의 LED(녹색, 노란색, 빨간색)를 켜는 예제이다.

- 01-05줄 : 변수 선언 부분에서는 각각 초음파 센서의 트리거 핀(trigPin), 에코 핀(echoPin), 녹색, 노란색, 빨간색 LED에 대응하는 핀 번호를 정의한다.
- 07-13줄 : setup() 함수에서는 각 핀의 모드를 설정한다. 에코 핀은 입력으로, 트리거 핀 및 각 LED는 출력으로 설정된다.
- 23-38줄 : 측정된 거리(dist)에 따라 조건문을 사용하여 거리에 따른 LED의 상태를 결정한다. 각 거리 구간(10cm 미만, 20cm 미만, 30cm 미만)마다 다른 LED를 켜서 시각적으로 거리를 표시한다. 30cm 이상일 경우 모든 LED를 끈다.

[실습] 거리에 따라 LED의 색깔 바꾸기

앞서 제시된 소스 코드를 이용하여 초음파 센서(ECHO : 디지털 13번 핀, TRIG : 디지털 12번 핀)로 장애물을 감지한 후 10cm 미만이면 빨강 LED(디지털 4번 핀), 10cm 이상 20cm 미만이면 노랑 LED(디지털 3번 핀), 20cm 이상 30cm 미만이면 초록 LED(디지털 2번 핀), 30cm 이상이면 모든 LED에 불이 꺼지는 프로그램을 작성해 보자.

4.4. 피에조 부저

4.4.1. 회로 구성 및 소스 코드

피에조 부저는 피에조 효과를 이용하여 소리를 생성하는 전자 부품이다. 피에조 부저에 주어진 주파수에 따라 다양한 높이와 길이의 소리를 생성할 수 있다. 이를 통해 아두이노에서 간단한 멜로디나 경고음을 생성할 수 있다.

피에조 부저는 두 개의 핀(양극과 음극)만으로 구성되어 있다. 이를 아두이노의 디지털 핀에 연결하여 tone() 함수를 사용하면 특정 주파수로 소리를 생성할 수 있다.

◎ 회로 구성

⇢ 준비물

- 아두이노 우노
- 피에조 부저
- 점퍼 와이어

⇢ 핀 연결

- 피에조 부저의 +극 핀을 아두이노의 11번 핀에 연결
- 피에조 부저의 -극 핀을 아두이노의 GND 핀에 연결

[참고] 옥타브표

옥타브	도 C	도# C#	레 D	레# D#	미 E	파 F	파# F#	솔 G	솔# G#	라 A	라# A#	시 B
1	33	35	37	39	41	44	46	49	52	55	58	62
2	65	69	73	78	82	87	93	98	104	110	117	123
3	131	139	147	156	165	175	185	196	208	220	233	247
4	262	277	294	311	330	349	370	392	415	440	466	494
5	523	554	587	622	659	698	740	784	831	880	932	988
6	1047	1109	1175	1245	1319	1397	1480	1568	1661	1760	1865	1976
7	2093	2217	2349	2489	2637	2794	2960	3136	3322	3520	3729	3951

소스 코드

4.4.1.1. 예제

```
01 void setup() {
02   tone(11, 262, 1000);
03   delay(1000);
04 }
05
06 void loop() {
07 }
```

이 소스 코드는 디지털 11번 핀을 통해 특정 주파수의 톤을 1초 동안 재생하는 예제이다.

- 02줄 : 11번 핀에서 262Hz 주파수의 톤을 1000밀리초(1초) 동안 재생한다. 262Hz는 4옥타브 도 음에 해당한다.
- 03줄 : 프로그램을 1000밀리초(1초) 동안 대기한다. 이는 톤 재생이 끝날 때까지 기다리는 데 사용된다.

실행 결과

이 코드를 실행하면 아두이노가 시작될 때 1초 동안 4옥타브 도 음의 톤이 재생되고, 그 후에는 아무런 동작도 하지 않는다.

[함수] tone()

tone() 함수는 아두이노에서 특정 핀을 통해 정해진 주파수의 사운드(음)를 생성하는 데 사용되는 함수이다. 이 함수는 주로 부저나 스피커와 같은 사운드 출력 장치를 제어하는 데 사용된다.

tone() 함수의 기본 구조는 다음과 같다.

```
tone(pin, frequency, duration);
```

- pin : 톤을 출력할 디지털 핀의 번호이다.
- frequency : 출력할 톤의 주파수(헤르츠, Hz)이다. 주파수가 높을수록 톤의 음 높이가 높아진다.
- duration : 톤을 지속할 시간(밀리초, ms)이다. 이 매개변수를 생략하면 tone() 함수는 noTone() 함수가 호출될 때까지 계속 톤을 재생한다.

tone() 함수를 사용하는 동안 해당 핀은 다른 목적으로 사용할 수 없으며, 톤을 멈추려면 noTone() 함수를 호출해야 한다.

4.4.2. 응용 예제 1-1

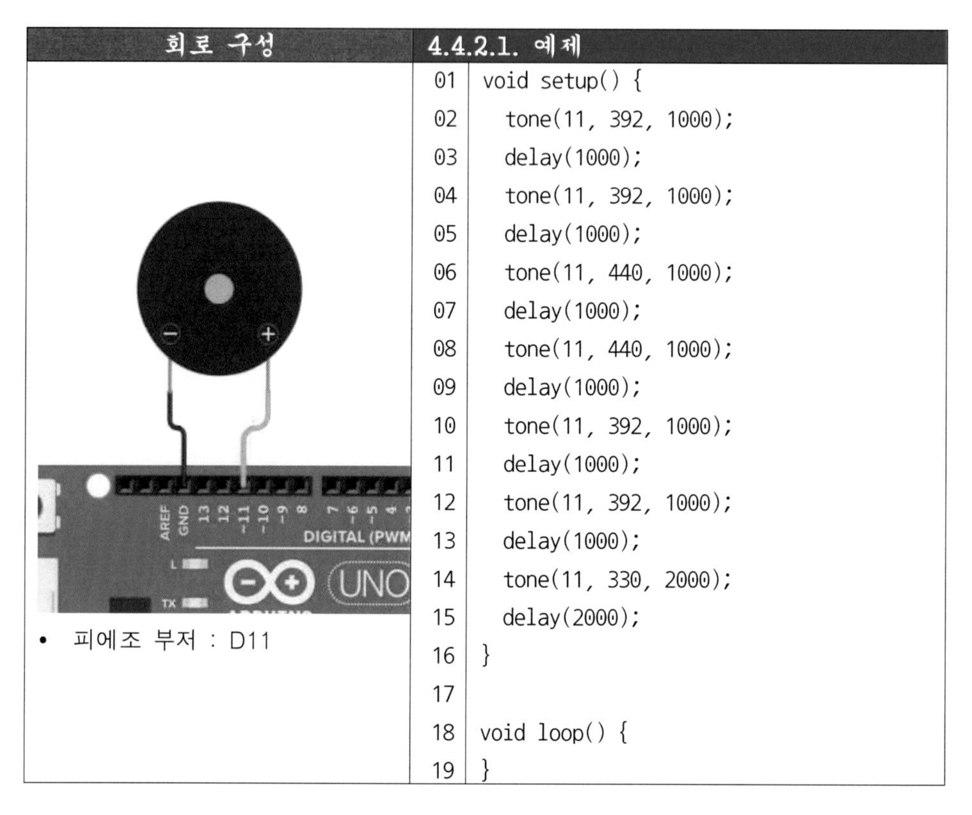

회로 구성	4.4.2.1. 예제
• 피에조 부저 : D11	(code below)

```
01 void setup() {
02   tone(11, 392, 1000);
03   delay(1000);
04   tone(11, 392, 1000);
05   delay(1000);
06   tone(11, 440, 1000);
07   delay(1000);
08   tone(11, 440, 1000);
09   delay(1000);
10   tone(11, 392, 1000);
11   delay(1000);
12   tone(11, 392, 1000);
13   delay(1000);
14   tone(11, 330, 2000);
15   delay(2000);
16 }
17
18 void loop() {
19 }
```

이 소스 코드는 아두이노에서 11번 핀에 연결된 피에조 부저를 통해 특정 주파수의 톤을 지정된 시간 동안 재생하는 예제이다.

- 02-15줄 : tone() 함수는 11번 핀에서 지정된 주파수(Hz)의 톤을 지정된 지속시간(밀리초) 동안 재생하고 delay() 함수는 프로그램을 지정된 지속시간(밀리초) 동안 대기시킨다. delay() 함수는 각 톤 사이에 일정한 간격을 유지하기 위해 사용된다.

4.4.3. 응용 예제 1-2

4.4.3.1. 예제	4.4.3.2. 예제

<pre>01 int pin = 11;
02 int E_4 = 330;
03 int G_4 = 392;
04 int A_4 = 440;
05 int ti = 1000;
06
07 void setup() {
08   tone(pin, G_4, ti);
09   delay(ti);
10   tone(pin, G_4, ti);
11   delay(ti);
12   tone(pin, A_4, ti);
13   delay(ti);
14   tone(pin, A_4, ti);
15   delay(ti);
16   tone(pin, G_4, ti);
17   delay(ti);
18   tone(pin, G_4, ti);
19   delay(ti);
20   tone(pin, E_4, ti * 2);
21   delay(ti * 2);
22 }
23
24 void loop() {
25 }</pre>
	<pre>01 int Pin = 11;
	02
	03 void setup() {
	04 int i;
	05 int a[7] = {392, 392, 440, 440, 392, 392, 330};
	06 int b[7] = {1000, 1000, 1000, 1000, 1000, 1000, 2000};
	07
	08 for (i = 0; i < 7; i++) {
	09 tone(Pin, a[i], b[i]);
	10 delay(b[i]);
	11 }
	12 }
	13
	14 void loop() {
	15 }</pre>

이 왼쪽 코드는 앞의 예제에서 여러 정수형 상수를 변수로 처리한 것이며, 오른쪽 코드는 앞의 예제를 배열과 반복문을 이용하여 수정한 것이다.

[실습] 피에조 부저의 출력 신호

앞서 제시된 소스 코드를 이용하여 피에조 부저(디지털 7번 핀)에서 나오는 음을 확인해 보자.

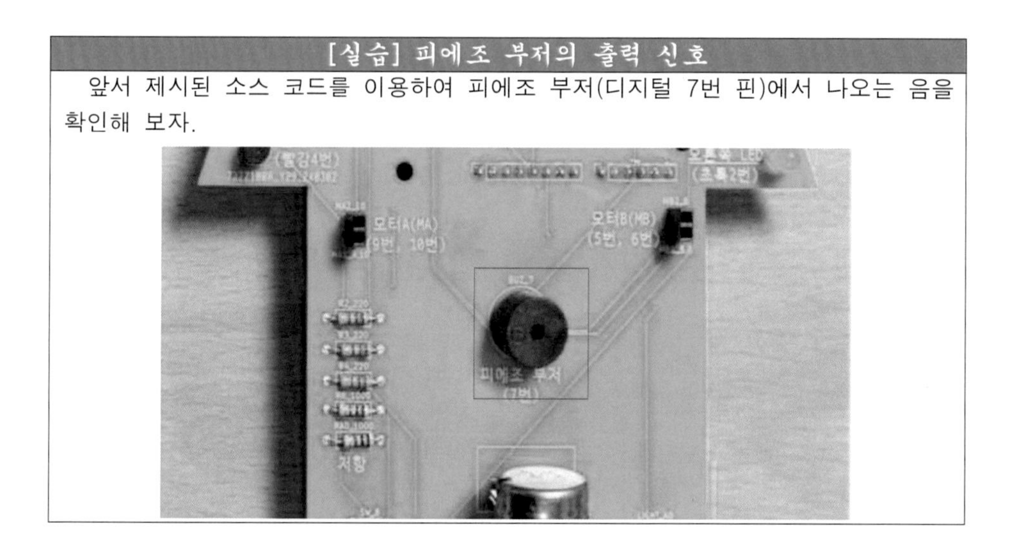

4.4.4. 응용 예제 2

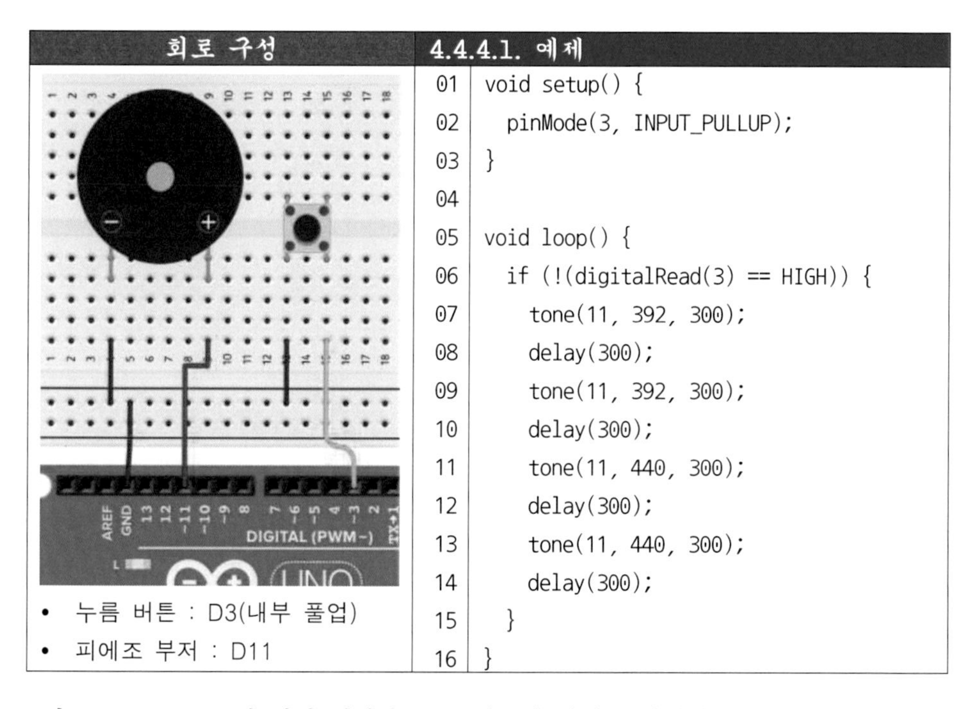

회로 구성

- 누름 버튼 : D3(내부 풀업)
- 피에조 부저 : D11

4.4.4.1. 예제

```
01 void setup() {
02   pinMode(3, INPUT_PULLUP);
03 }
04
05 void loop() {
06   if (!(digitalRead(3) == HIGH)) {
07     tone(11, 392, 300);
08     delay(300);
09     tone(11, 392, 300);
10     delay(300);
11     tone(11, 440, 300);
12     delay(300);
13     tone(11, 440, 300);
14     delay(300);
15   }
16 }
```

이 소스 코드는 3번 핀에 연결된 누름 버튼의 상태를 감지하여 11번 핀에 연결된 피에조 부저로 톤(음표)을 재생하는 예제이다.

- 02줄 : 3번 핀을 내부 풀업 저항을 사용하는 입력 모드로 설정한다. 이 설정은 누름 버튼을 사용할 때 외부 풀업 저항 없이 버튼의 두 단자 중 하나를 3번 핀에, 다른 하나를 접지(GND)에 연결할 수 있게 한다.
- 06줄 : 3번 핀의 상태가 HIGH가 아닐 때(즉, 버튼이 눌렸을 때) 조건문 내의 코드를 실행한다.
- 07-14줄 : 각각 11번 핀에서 392Hz와 440Hz 주파수의 톤을 300밀리초 동안 재생한다. 이는 특정 음표를 연주하는 데 사용되며, 여기서는 두 번의 392Hz 톤과 두 번의 440Hz 톤을 연속해서 재생한다.

이 코드를 실행하면 3번 핀에 연결된 누름 버튼이 눌릴 때마다, 11번 핀에 연결된 피에조 부저를 통해 392Hz와 440Hz의 톤이 각각 두 번씩 연속해서 재생된다. 이를 통해 버튼의 상태에 따라 소리를 낼 수 있다.

[실습] 버튼 눌러 피에조 부저에서 음악 재생하기

앞서 제시된 소스 코드를 이용하여 버튼(디지털 8번 핀)을 눌렀을 때 피에조 부저(디지털 7번 핀)에서 나오는 음을 확인해 보자.

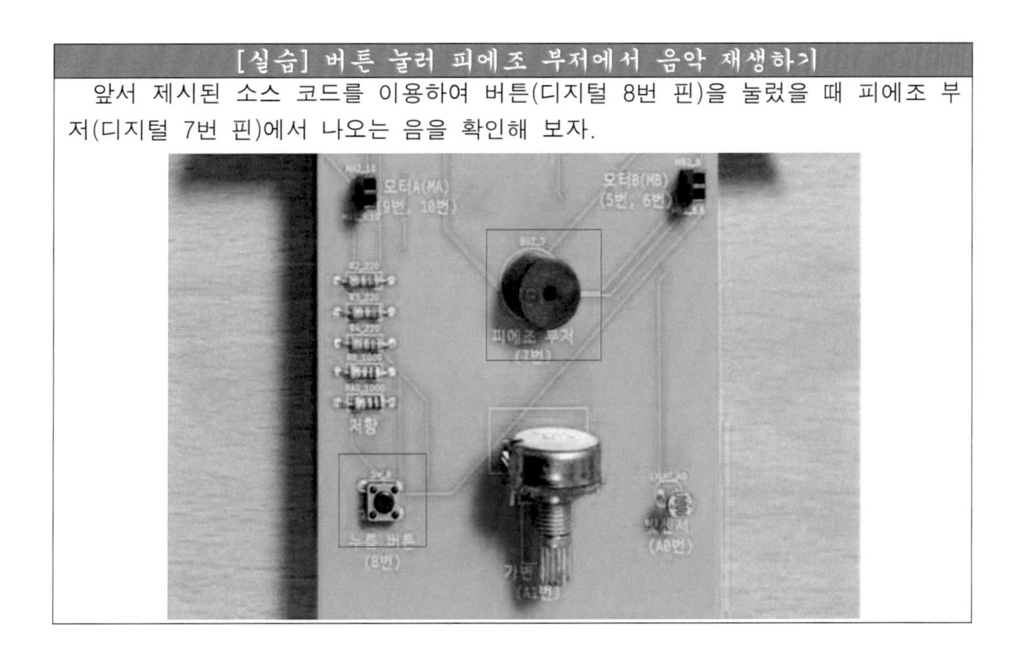

4.4.5. 응용 예제 3

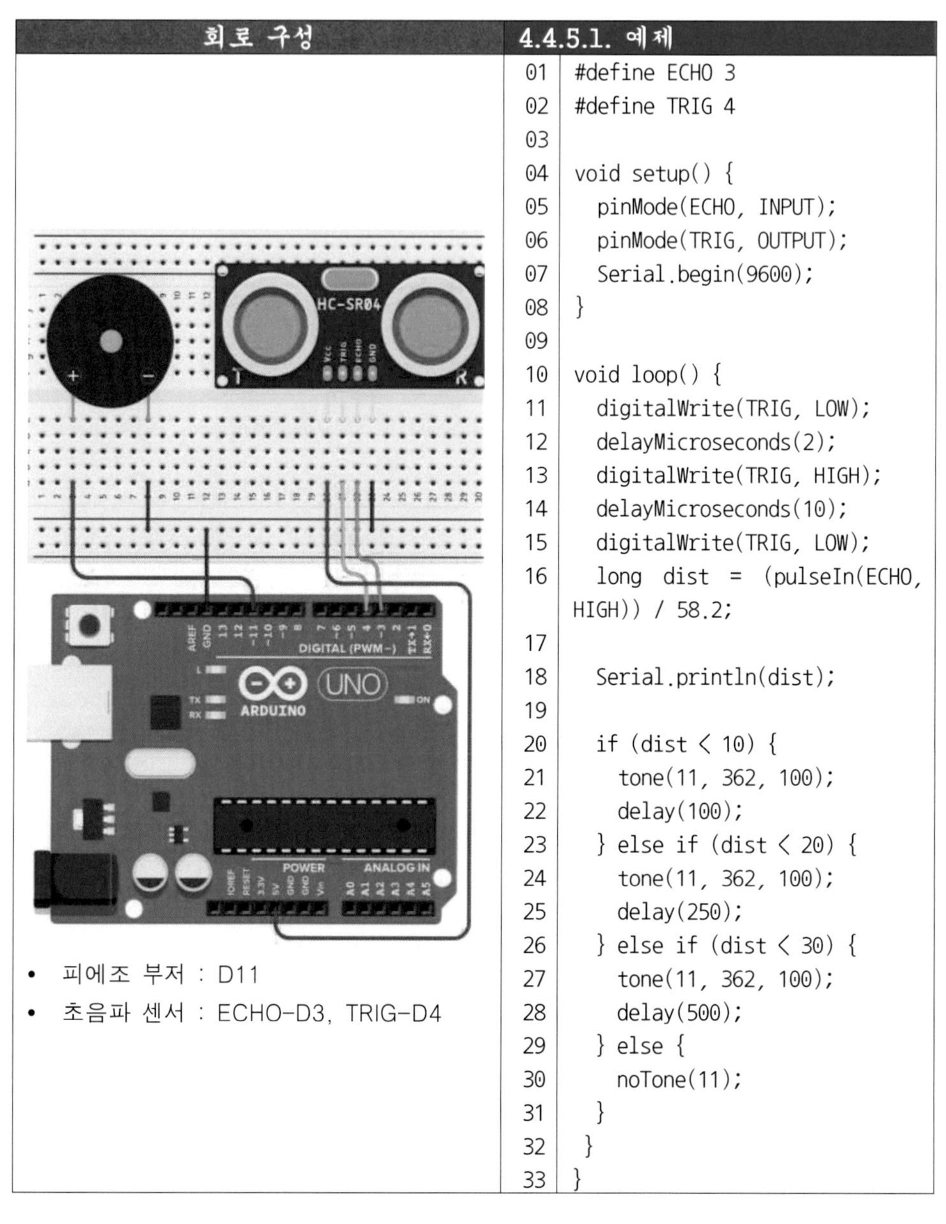

- 피에조 부저 : D11
- 초음파 센서 : ECHO-D3, TRIG-D4

4.4.5.1. 예제

```
01 #define ECHO 3
02 #define TRIG 4
03
04 void setup() {
05   pinMode(ECHO, INPUT);
06   pinMode(TRIG, OUTPUT);
07   Serial.begin(9600);
08 }
09
10 void loop() {
11   digitalWrite(TRIG, LOW);
12   delayMicroseconds(2);
13   digitalWrite(TRIG, HIGH);
14   delayMicroseconds(10);
15   digitalWrite(TRIG, LOW);
16   long dist = (pulseIn(ECHO, HIGH)) / 58.2;
17
18   Serial.println(dist);
19
20   if (dist < 10) {
21     tone(11, 362, 100);
22     delay(100);
23   } else if (dist < 20) {
24     tone(11, 362, 100);
25     delay(250);
26   } else if (dist < 30) {
27     tone(11, 362, 100);
28     delay(500);
29   } else {
30     noTone(11);
31   }
32  }
33 }
```

이 소스 코드는 초음파 센서를 사용하여 거리를 측정하고, 해당 거리에 따라 특정 주파수의 톤을 피에조 부저로 제시하는 예제이다.

[실습] 후방 감지기 만들기

앞서 제시된 소스 코드를 이용하여 초음파 센서(ECHO : 디지털 13번 핀, TRIG : 디지털 12번 핀)로 벽을 감지한 후 피에조 부저(디지털 7번 핀)에서 거리에 따라 다르게 소리가 나는 프로그램을 작성해 보자.

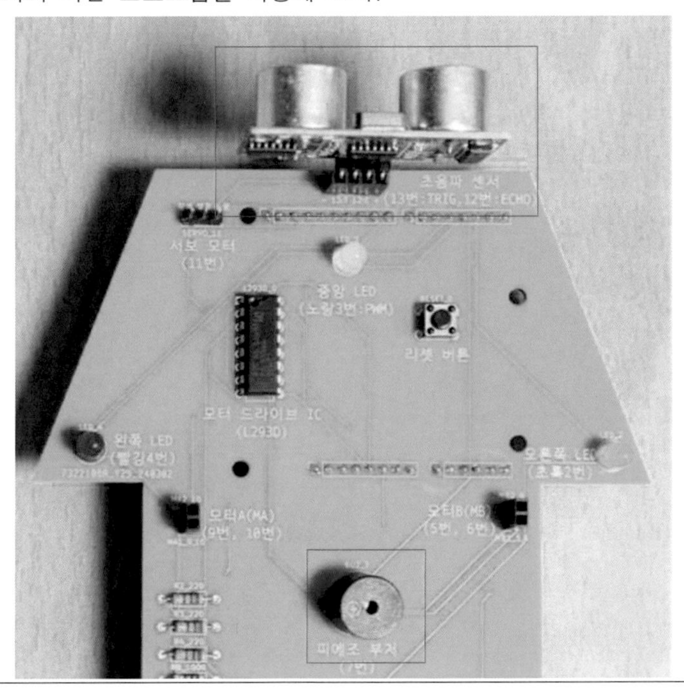

4.4.6. 응용 예제 4

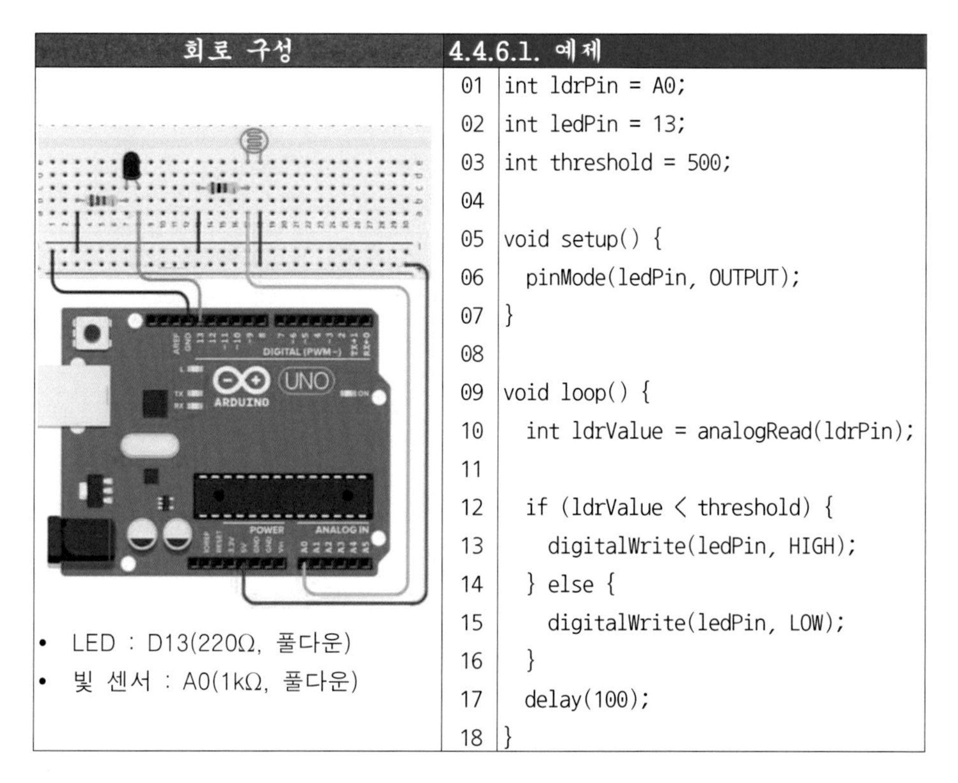

회로 구성

- LED : D13(220Ω, 풀다운)
- 빛 센서 : A0(1kΩ, 풀다운)

4.4.6.1. 예제

```
01 int ldrPin = A0;
02 int ledPin = 13;
03 int threshold = 500;
04
05 void setup() {
06   pinMode(ledPin, OUTPUT);
07 }
08
09 void loop() {
10   int ldrValue = analogRead(ldrPin);
11
12   if (ldrValue < threshold) {
13     digitalWrite(ledPin, HIGH);
14   } else {
15     digitalWrite(ledPin, LOW);
16   }
17   delay(100);
18 }
```

이 소스 코드는 아두이노에서 빛 센서를 사용하여 주변 빛의 세기를 측정하고, 설정된 기준값에 따라 LED를 제어하는 예제이다.

- 03줄 : 빛의 세기 값의 기준값을 설정한다. 이 값은 주변 빛의 양에 따라 조정될 수 있다.
- 10줄 : 빛 센서에서 읽은 아날로그 값을 ldrValue 변수에 저장한다. 이 값은 0에서 1023 사이의 범위를 가진다.
- 12-16줄 : 조건문으로 빛 센서로 읽은 값이 설정된 기준값(500)보다 낮을 경우 LED를 켜고(HIGH), 그렇지 않으면 끈다(LOW).

이 코드를 실행하면 아두이노는 주변 빛의 세기가 기준값(500)보다 낮을 때 LED를 켜고, 그렇지 않을 때 LED를 끈다. 이를 통해 주변 환경의 밝기에 따라 LED를 자동으로 제어할 수 있다.

[실습] 자동 자명종 만들기

앞서 제시된 소스 코드를 이용하여 빛 센서(아날로그 A0번 핀)에서 빛을 감지하여 피에조 부저(디지털 7번 핀)에서 빛이 있을 때 음악이 나오는 프로그램을 작성해 보자.

4.5. 서보 모터

4.5.1. 회로 구성 및 소스 코드

서보 모터는 간단한 제어 신호로 정확한 위치에 모터를 회전시키는 특별한 종류의 모터이다. 서보는 일반적으로 RC(라디오 컨트롤) 장치, 로봇, 자동화 장치 등에서 광범위하게 사용된다.

회로 구성

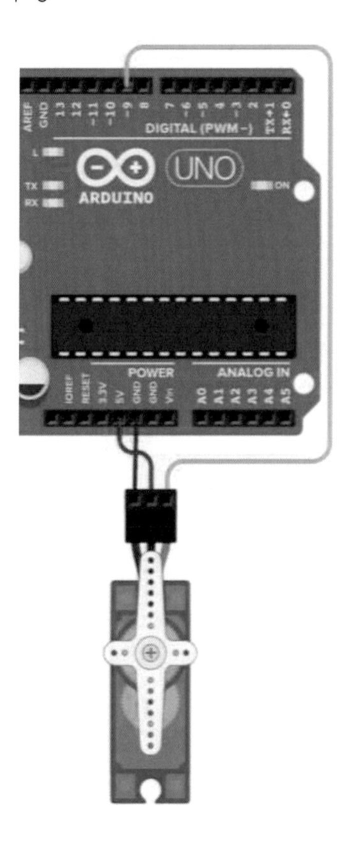

준비물

- 아두이노 우노
- 서보모터
- 점퍼 와이어

회로 구성

- 서보 모터의 GND 핀(갈색)을 아두이노의 GND에 연결
- 서보 모터의 신호 핀(주황색)을 아두이노의 9번 핀에 연결
- 가변 저항의 VCC 핀(빨간색)을 아두이노의 5V 핀에 연결

소스 코드

4.5.1.1. 예제

```
01 #include <Servo.h>
02 Servo myServo;
03
04 void setup() {
05   myServo.attach(9);
06 }
07
08 void loop() {
09   myServo.write(0);
10   delay(1000);
11   myServo.write(90);
12   delay(1000);
13   myServo.write(180);
14   delay(1000);
15 }
```

이 소스 코드는 서보 모터를 제어하여 서로 다른 각도로 회전시키는 예제이다.

- 01줄 : 아두이노에서 서보 모터를 제어하기 위해 필요한 Servo 라이브러리를 포함시킨다.
- 02줄 : Servo 타입의 객체인 myServo를 생성한다. 이 객체를 사용하여 서보 모터를 제어한다.
- 05줄 : 서보 모터를 9번 핀에 연결한다. attach() 함수는 서보 모터를 제어할 핀을 지정한다.
- 09-10줄 : 서보 모터를 0도 각도로 회전시킨 후 1초 동안 대기한다.
- 11-12줄 : 서보 모터를 90도 각도로 회전시킨 후 1초 동안 대기한다.
- 13-14줄 : 서보 모터를 180도 각도로 회전시킨 후 1초 동안 대기한다.

실행 결과

- 이 코드를 실행하면 서보 모터는 0도에서 시작하여 90도, 180도로 순서대로 회전하며, 각각의 위치에서 1초 동안 정지한다. 이후 이 동작은 계속 반복된다.

[참고] 서보 모터와 PWM

서보 모터는 PWM 신호를 사용하여 제어된다. 주어진 PWM 신호의 펄스 폭에 따라 서보는 특정 각도로 회전한다. 예를 들어, 1밀리초 펄스는 서보를 0도로, 1.5밀리초 펄스는 90도로, 2밀리초 펄스는 180도로 회전시킬 수 있다. 따라서 서보 모터를 아두이노와 연결할 때 PWM 핀에 연결하는 것이 일반적이다. 그러나 아두이노의 Servo 라이브러리를 사용하면 PWM이 지원되지 않는 핀에서도 서보를 제어할 수 있다. 이 라이브러리는 내부 타이머를 사용하여 PWM 핀이 아닌 다른 디지털 핀에서도 PWM 스타일의 신호를 생성한다. 그렇기 때문에 필요에 따라 PWM 핀이 아닌 다른 디지털 핀에 서보 모터의 제어 선을 연결할 수도 있다.[10)]

대부분의 표준 서보 모터는 0도에서 180도 사이의 각도로만 회전한다. 그러나 연속 회전 서보와 같은 다른 타입의 서보는 360도 이상 회전할 수 있으며, 속도와 방향을 조절하는 데 사용된다.

[실습] 서보 모터의 출력 신호

앞서 제시된 소스 코드를 이용하여 서보 모터(디지털 11번 핀)의 회전 각도를 확인해 보자.

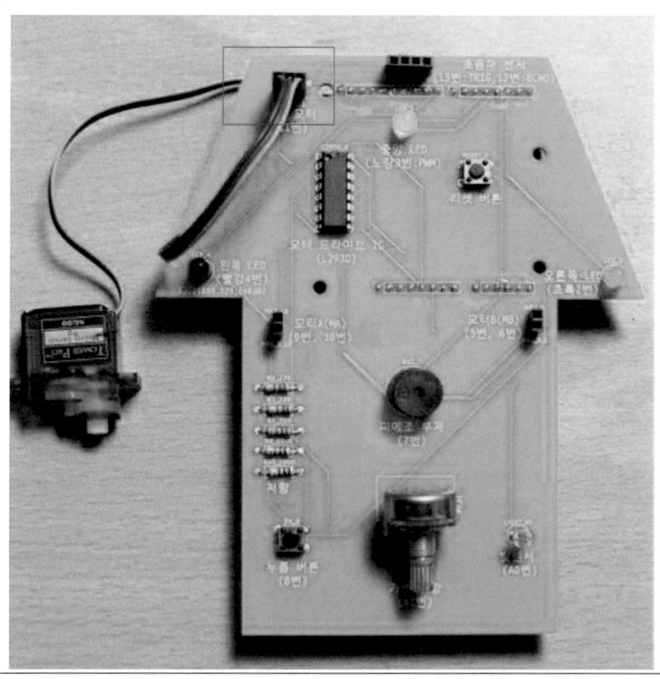

10) 아두이노에서 모든 핀이 Servo 라이브러리와 호환되는 것은 아니다. 사용하는 아두이노의 문서를 확인해야 한다. 또한, 여러 서보 모터를 동시에 제어하려면, 각 서보에 대해 PWM 신호를 정확하게 생성하기 위해 충분한 타이머 리소스(자원)이 필요한다. 따라서 모든 핀에 서보 모터를 연결하는 것이 항상 효율적이라고 할 수는 없다.

4.5.2. 응용 예제

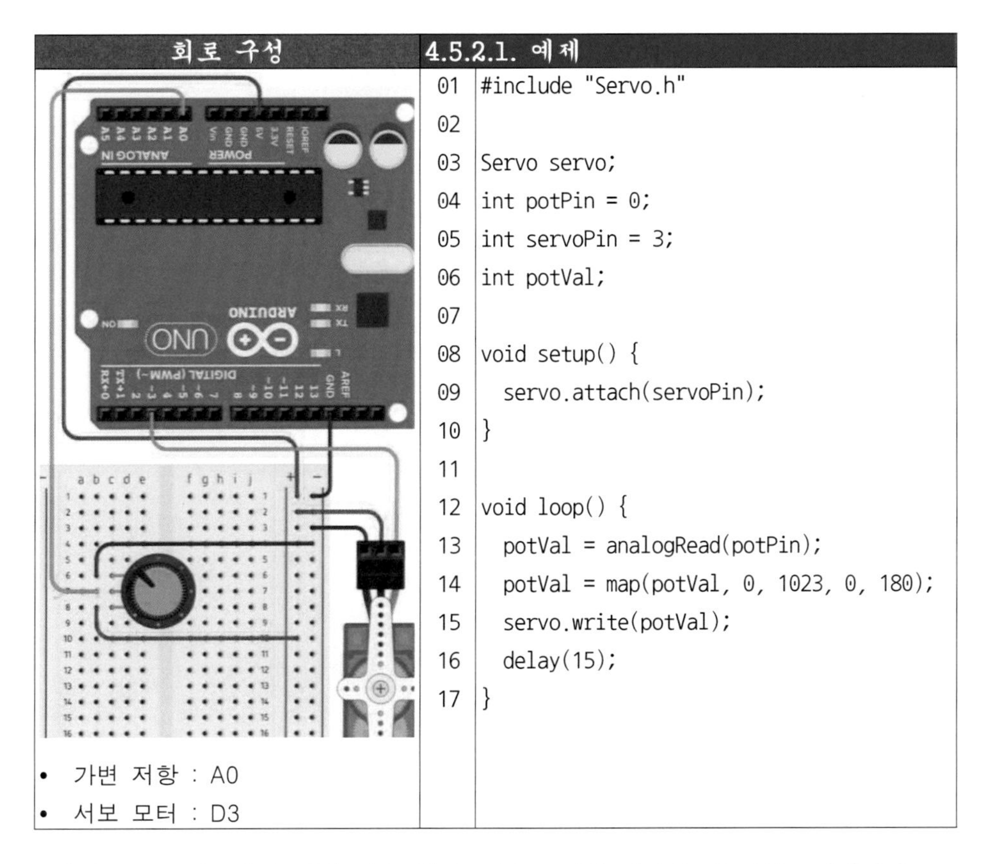

회로 구성	4.5.2.1. 예제
(회로도) • 가변 저항 : A0 • 서보 모터 : D3	(코드 아래 참조)

```
01 #include "Servo.h"
02 
03 Servo servo;
04 int potPin = 0;
05 int servoPin = 3;
06 int potVal;
07 
08 void setup() {
09   servo.attach(servoPin);
10 }
11 
12 void loop() {
13   potVal = analogRead(potPin);
14   potVal = map(potVal, 0, 1023, 0, 180);
15   servo.write(potVal);
16   delay(15);
17 }
```

이 소스 코드는 가변 저항 값을 읽어 서보 모터의 각도를 제어하는 예제이다.

- 04-05줄 : 가변 저항이 연결된 아날로그 핀 번호와 서보 모터가 연결된 디지털 핀 번호를 정의한다.
- 06줄 : 가변 저항에서 읽은 아날로그 값을 저장하는 변수를 선언한다.
- 13줄 : 가변 저항에서 아날로그 값을 읽는다.
- 14줄 : 읽은 아날로그 값을 0에서 180의 범위로 매핑한다. 이는 서보 모터가 회전할 수 있는 각도 범위에 해당한다.
- 15줄 : 매핑된 값을 서보 모터에 적용하여 각도를 조절한다.

이 코드를 실행하면 가변 저항을 돌릴 때마다 서보 모터의 각도가 조절되어 가변 저항의 위치에 따라 서보 모터가 움직인다.

[실습] 가변 저항으로 서보 모터 회전시키기

앞서 제시된 소스 코드를 이용하여 가변 저항(아날로그 A1번 핀)의 회전 방향에 따라 서보 모터(디지털 11번 핀)가 회전하는 프로그램을 작성해 보자.

4.6. DC 모터(L293D IC)

4.6.1. DC 모터

DC 모터는 직류 전원을 사용하여 회전하는 모터로 전압의 극성을 변경하여 회전 방향을 바꿀 수 있다. 아두이노에서 프로그래밍하여 DC 모터를 제어하기 위해서는 모터 드라이브(예 : L293D, L298N, L9110)가 필요하다.

다음과 같이 회로를 구성하여 DC 모터의 작동 원리를 확인해 보자.

회로 구성

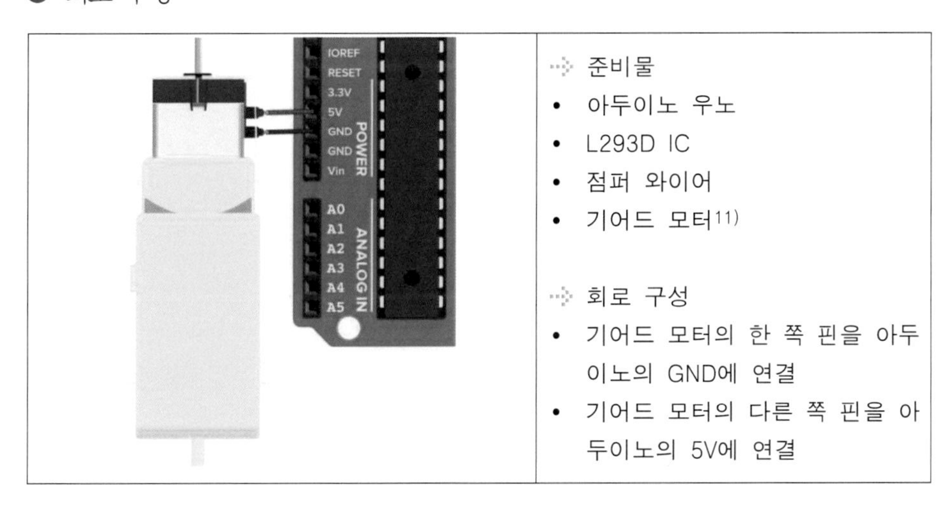

실행 결과

이와 같이 회로를 구성하고 시뮬레이션을 실행하면 기어드 모터가 한쪽 방향으로 회전한다. 아두이노의 5V 핀에 연결하면 170rpm으로 회전하고, 3.3V 핀에 연결하면 112rpm을 확인할 수 있다. 만약 기어드 모터의 두 핀을 바꾸어 연결하면(예 : 5V와 GND 핀을 반대로 연결) 회전 방향이 반대가 되는 것을 확인할 수 있다.

---

11) 기어드 모터는 DC 모터의 한 종류로 기어 박스와 모터가 결합된 부품이다. 이를 통해 모터의 속도와 토크(회전력)을 조절할 수 있다.

4.6.2. 모터 드라이브

모터 드라이브는 모터의 전원 공급, 속도 제어, 회전 방향 제어를 가능하게 하는 부품이다. 이 부품은 모터를 제어하는 데 필요한 높은 전류와 전압을 처리할 수 있도록 설계되었으며, 아두이노에서 제공하는 낮은 전기 신호를 사용하여 모터를 정밀하게 제어한다. 모터 드라이브의 주요 기능은 다음과 같다.

- 전력 증폭 : 마이크로컨트롤러와 같은 제어 장치는 낮은 전류를 출력한다. 모터 드라이브는 이 낮은 전류 신호를 받아 모터 작동에 필요한 더 높은 전류와 전압으로 증폭시킨다.
- 방향 제어 : DC 모터의 경우, 전류의 방향을 바꿔주어 모터의 회전 방향을 바꿀 수 있다. 모터 드라이브는 이를 위해 H-브리지 회로를 사용하여 전류의 방향을 전환한다.
- 속도 제어 : PWM 신호를 사용하여 모터의 속도를 조절한다. PWM은 전압의 평균값을 조절하여 모터의 속도를 미세하게 제어할 수 있다.
- 보호 기능 : 과전류, 과열 등으로부터 모터와 제어 시스템을 보호한다. 일부 모터 드라이브에는 과부하나 단락을 방지하기 위한 추가 보호 회로가 포함되어 있다.

모터 드라이브의 실물 모습은 다음과 같다.

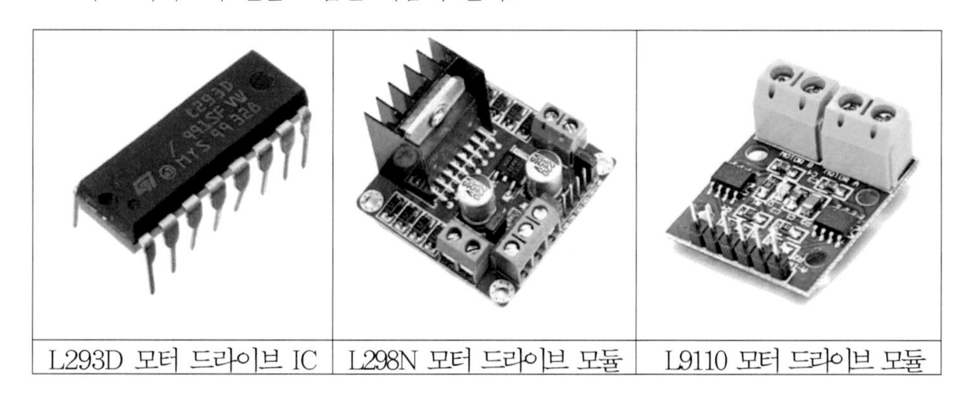

L293D 모터 드라이브 IC	L298N 모터 드라이브 모듈	L9110 모터 드라이브 모듈

4.6.3. 회로 구성 및 소스 코드 1

회로 구성

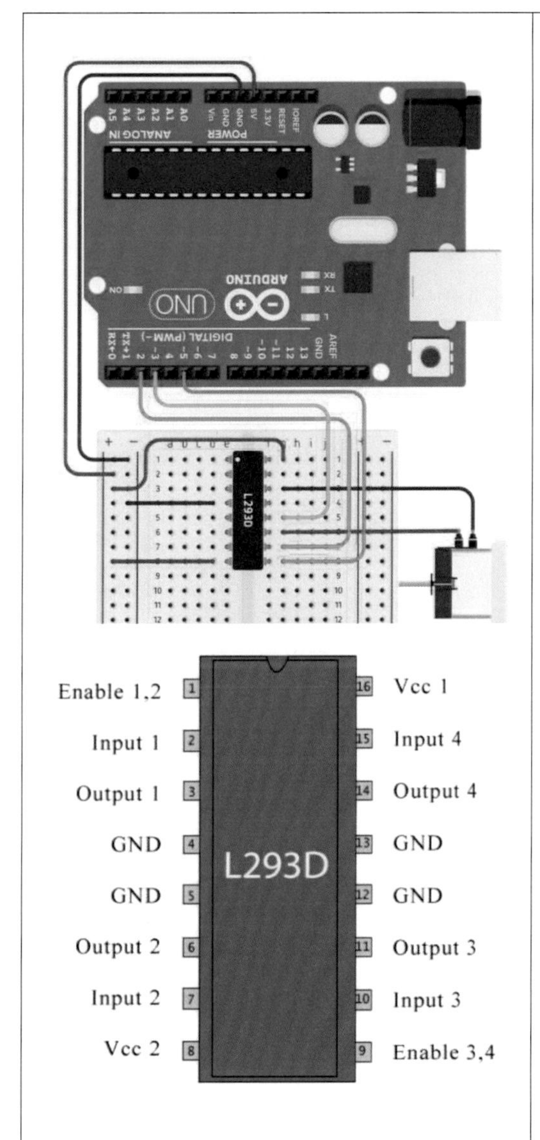

준비물

- 아두이노 우노
- L293D 모터드라이브 IC
- 브레드보드
- 점퍼 와이어
- 기어드 모터

회로 구성

아두이노 핀	L293D IC (핀번호)
2	Input 3(10)
3	Input 4(15)
5	Enable 3,4(9)
GND	GND(4)
5V	VCC1(16), VCC2(8)

모터 핀	L293D IC(핀번호)
A	Output 3(11)
B	Output 4(14)

소스 코드

4.6.3.1. 예제

```
01 int in3 = 2;
02 int in4 = 3;
03 int en2 = 5;
04
05 void setup() {
06  pinMode(in3, OUTPUT);
07  pinMode(in4, OUTPUT);
08  pinMode(en2, OUTPUT);
09 }
10
11 void loop() {
12     digitalWrite(in3, HIGH);
13     digitalWrite(in4, LOW);
14
15     analogWrite(en2, 150);
16     delay(2000);
17
18     analogWrite(en2, 255);
19     delay(2000);
20
21     digitalWrite(in3, LOW);
22     digitalWrite(in4, HIGH);
23
24     analogWrite(en2, 150);
25     delay(2000);
26
27     analogWrite(en2, 255);
28     delay(2000);
29 }
```

이 소스 코드는 L293D 모터 드라이브 IC의 입력 핀을 제어하여 모터의 방향과 속도를 조절하는 예제이다.

- 01-02줄 : 모터의 회전 방향을 제어하는 데 사용되는 디지털 핀 번호를 정의한다.
- 03줄 : 모터의 속도를 제어하는 데 사용되는 PWM 핀 번호를 정의한다.

- 06-08줄 : in3, in4, en2 핀들을 출력 모드로 설정한다.
- 12-19줄 : digitalWrite(in3, HIGH);와 digitalWrite(in4, LOW);는 모터가 한 방향으로 회전하도록 핀 상태를 설정한다. analogWrite(en2, 150);는 모터의 속도를 중간 속도로 설정한다. 이후 2초 대기 후 analogWrite(en2, 255);를 통해 모터의 속도를 최대로 증가시킨다.
- 21-28줄 : 두 번째 모터 작동 순서이다. digitalWrite(in3, LOW);와 digitalWrite(in4, HIGH);는 모터가 반대 방향으로 회전하도록 핀 상태를 설정한다. 나머지 동작은 첫 번째 순서와 동일하다.

실행 결과

이 코드를 실행하면 모터는 처음에 한 방향으로 중간 속도로 회전하다가 속도가 증가하고, 이후 반대 방향으로 같은 순서로 동작한다.

[참고] L293D 모터 드라이브의 ENABLE 핀

L293D 모터 드라이브의 ENABLE 핀은 해당 모터 채널의 동작을 제어한다.

- ENABLE 핀에 HIGH(5V)가 입력되면 해당 모터 채널은 동작할 수 있는 상태가 된다.
- ENABLE 핀에 LOW(0V)가 입력되면 해당 모터 채널은 동작하지 않는 상태가 된다.

또한, ENABLE 핀은 PWM(Pulse Width Modulation) 신호를 통해 모터의 속도도 제어할 수 있다. PWM 신호는 0(0%)에서 255(100%)까지의 값을 가질 수 있으며, 이 값에 따라 모터의 속도가 조절된다.

- analogWrite(ENA, 255); : 모터의 속도를 최대로 설정한다.
- analogWrite(ENA, 128); : 모터의 속도를 약 50%로 줄인다.
- analogWrite(ENA, 0); : 모터를 정지시킨다.

4.6.4. 회로 구성 및 소스 코드 2

회로 구성

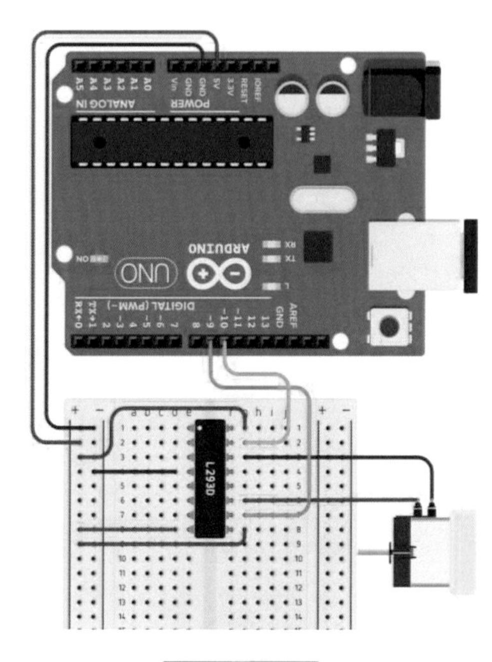

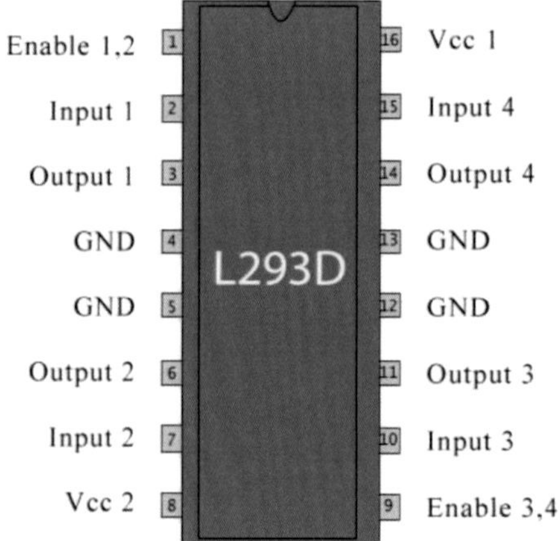

준비물

- 아두이노 우노
- L293D 모터드라이브 IC
- 브레드보드
- 점퍼 와이어
- 기어드 모터

회로 구성

아두이노 핀	L293D IC (핀번호)
9	Input 3(10)
10	Input 4(15)
GND	GND(4)
5V	VCC1(16), VCC2(8), Enable 3,4(9)

모터 핀	L293D IC(핀번호)
A-1	Output 3(11)
A-2	Output 4(14)

소스 코드

4.6.4.1. 예제

```
01 #define MA1 9
02 #define MA2 10
03
04 void setup() {
05   pinMode(MA1, OUTPUT);
06   pinMode(MA2, OUTPUT);
07
08   digitalWrite(MA1, HIGH);
09   digitalWrite(MA2, LOW);
10   delay(1000);
11
12   digitalWrite(MA1, LOW);
13   digitalWrite(MA2, LOW);
14 }
15
16 void loop() {
17 }
```

이 소스 코드는 L9110 모터 드라이브 모듈을 사용하여 모터를 제어하는 예제이다.

- 01-02줄 : 모터 드라이브의 핀들에 대한 상수 정의가 이루어진다.
- 05-06줄 : MA1과 MA2 핀을 출력 모드로 설정한다.
- 08-09줄 : MA1 핀을 HIGH로, MA2 핀을 LOW로 설정한다. 이는 모터가 한 방향으로 회전하도록 한다.
- 10줄 : 모터가 지정된 방향으로 1초 동안 회전하도록 한다.
- 12-13줄 : MA1과 MA2 핀을 둘 다 LOW로 설정한다. 이는 모터의 작동을 멈추게 한다.

실행 결과

이 코드를 실행하면 모터는 1초 동안 한 방향으로 회전한 후 멈춘다. 이 예제는 모터를 간단히 테스트하거나 초기 설정을 확인하는 데 사용될 수 있다.

[참고] 모터 1개 제어 프로그래밍

A 모터의 시계 방향 1초간 회전

다음 소스 코드를 업로드했을 때 A 모터가 시계 방향으로 1초간 회전한다고 가정해 보자.

```
digitalWrite(MA1, HIGH);
digitalWrite(MA2, LOW);
delay(1000);
```

A 모터의 반시계 방향 1초간 회전

A 모터의 회전 방향을 반대로 하려면 다음과 같이 digitalWrite() 함수의 두 번째 매개변수를 앞의 예제와 반대로 한다.

```
digitalWrite(MA1, HIGH);
digitalWrite(MA2, LOW);
delay(1000);
```

A 모터의 정지

A 모터를 정지시키는 방법은 다음과 같이 digitalWrite() 함수의 두 번째 변수를 모두 LOW로 하거나 HIGH로 한다.

```
digitalWrite(MA1, LOW);
digitalWrite(MA2, LOW);
```

```
digitalWrite(MA1, HIGH);
digitalWrite(MA2, HIGH);
```

소스 코드의 간소화

digitalWrite() 함수의 두 번째 변수인 HIGH나 LOW를 1과 0으로 표현하면 소스 코드가 더욱 간단해진다. 다음은 08-13줄의 소스 코드를 이와 같은 방식으로 수정한 예이다.

```
digitalWrite(MA1, 1);
digitalWrite(MA2, 0);
delay(1000);

digitalWrite(MA1, 0);
digitalWrite(MA2, 0);
```

4.6.5. 회로 구성 및 소스 코드 3

회로 구성

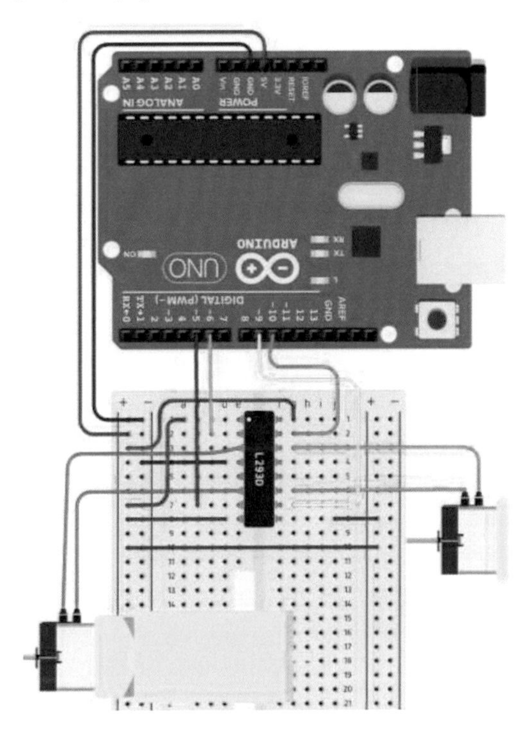

⇢ 준비물

- 아두이노 우노
- L293D 모터드라이브 IC
- 브레드보드
- 점퍼 와이어
- 기어드 모터

⇢ 회로 구성

아두이노 핀	L293D IC (핀번호)
5	Input 1(2)
6	Input 2(7)
9	Input 3(10)
10	Input 4(15)
5V	
GND	GND(4)
5V	VCC1(16), VCC2(8), Enable 3,4(9), Enable 1,2(1)

모터 핀	L293D IC(핀번호)
A-1	Output 3(11)
A-2	Output 4(14)
B-1	Output 1(3)
B-2	Output 2(6)

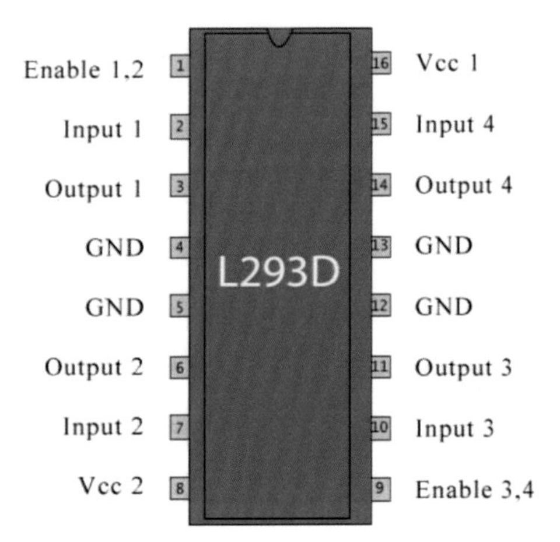

소스 코드

4.6.5.1. 예제

```
01 #define MA1 5
02 #define MA2 6
03 #define MB1 9
04 #define MB2 10
05
06 void setup() {
07   pinMode(MA1, OUTPUT);
08   pinMode(MA2, OUTPUT);
09   pinMode(MB1, OUTPUT);
10   pinMode(MB2, OUTPUT);
11
12   digitalWrite(MA1, 1); //전진
13   digitalWrite(MA2, 0);
14   digitalWrite(MB1, 1);
15   digitalWrite(MB2, 0);
16   delay(1000);
17
18   digitalWrite(MA1, 0); // 좌회전
19   digitalWrite(MA2, 1);
20   digitalWrite(MB1, 1);
21   digitalWrite(MB2, 0);
22   delay(600);
23
24   digitalWrite(MA1, 1); // 전진
25   digitalWrite(MA2, 0);
26   digitalWrite(MB1, 1);
27   digitalWrite(MB2, 0);
28   delay(1000);
29
30   digitalWrite(MA1, 0); // 좌회전
31   digitalWrite(MA2, 1);
32   digitalWrite(MB1, 1);
33   digitalWrite(MB2, 0);
34   delay(600);
35
36   digitalWrite(MA1, 1); // 전진
37   digitalWrite(MA2, 0);
38   digitalWrite(MB1, 1);
39   digitalWrite(MB2, 0);
40   delay(1000);
41
42   digitalWrite(MA1, 0); // 정지
43   digitalWrite(MA2, 0);
44   digitalWrite(MB1, 0);
45   digitalWrite(MB2, 0);
46 }
47
48 void loop() {
49 }
```

이 소스 코드는 아두이노에서 두 개의 DC 모터를 제어하는 예제이다. 여기서 MA1, MA2, MB1, MB2는 각각 두 모터의 제어 핀에 대응한다.

- 01-02줄 : #define MA1 9와 #define MA2 10은 첫 번째 모터의 제어 핀을

각각 아두이노의 9번과 10번 핀으로 정의한다.

- 03-04줄 : #define MB1 5와 #define MB2 6은 두 번째 모터의 제어 핀을 각각 아두이노의 5번과 6번 핀으로 정의한다.
- 07-10줄 : MA1, MA2, MB1, MB2 핀을 출력 모드로 설정한다.
- 12-16줄 : A 모터(MA1, MA2)와 B 모터(MB1, MB2)를 한 방향으로 회전시키고, 1초 동안 유지한다. 두 모터의 회전 방향을 같게 하여 자동차가 전진하게 한다.
- 18-22줄 : A 모터는 이전 방향을 유지하고, B 모터의 방향을 반대로 하여 0.6초 동안 유지한다. 두 모터의 회전 방향이 다르기 때문에 자동차는 회전한다.
- 24-40줄 : 이러한 패턴을 반복하여 모터들을 특정 순서로 작동시킨다.
- 42-45줄 : A, B 두 모터 모두 작동을 멈춘다.

[참고] 모터 2개 제어 프로그래밍(자동차의 주행 방법)

모터 2개를 이용하고 적절히 프로그래밍하면, 자동차의 주행이 가능하다.

1초간 전진 코드

다음 소스 코드를 업로드했을 때 A, B 모터의 회전 방향을 조절(예 : A 모터-반시계 방향 회전, B 모터-시계 방향 회전)하여 1초간 전진한다고 가정해 보자.

```
digitalWrite(MA1, 1);
digitalWrite(MA2, 0);
digitalWrite(MB1, 1);
digitalWrite(MB2, 0);
delay(1000);
```

1초간 후진 코드

자동차를 후진하려면 다음과 같이 digitalWrite() 함수의 두 번째 매개변수를 앞의 예제와 반대로 한다.

```
digitalWrite(MA1, 1);
digitalWrite(MA2, 0);
digitalWrite(MB1, 1);
digitalWrite(MB2, 0);
delay(1000);
```

좌회전

자동차를 좌회전 하려면 다음 두 가지 방법이 있다.

- A모터를 정지시키고, B 모터는 전진(B 모터-시계 방향 회전)하게 하되 두 모터의 회전 지속 시간을 적절히 조절한다.

```
digitalWrite(MA1, 0);
digitalWrite(MA2, 0);
digitalWrite(MB1, 1);
digitalWrite(MB2, 0);
delay(600); // 모터의 회전 시간 조절
```

- A모터를 후진(A 모터-시계 방향 회전)시키고, B 모터는 전진(B모터-시계 방향 회전)하게 하되 두 모터의 회전 지속 시간을 적절히 조절한다.

```
digitalWrite(MA1, 0);
digitalWrite(MA2, 1);
digitalWrite(MB1, 1);
digitalWrite(MB2, 0);
delay(400); // 모터의 회전 시간 조절
```

4.6.6. 회로 구성 및 소스 코드 4

- 회로 구성 - 이전과 동일

- 소스 코드

4.6.6.1. 예제

```
01 #define MA1 5
02 #define MA2 6
03 #define MB1 8
04 #define MB2 9
05
06 void forward() { // 전진
07   digitalWrite(MA1, 1);
08   digitalWrite(MA2, 0);
09   digitalWrite(MB1, 1);
10   digitalWrite(MB2, 0);
11   delay(1000);
12 }
13
14 void backward() { // 후진
15   digitalWrite(MA1, 0);
16   digitalWrite(MA2, 1);
17   digitalWrite(MB1, 0);
18   digitalWrite(MB2, 1);
19   delay(1000);
20 }
21
22 void left() { // 좌회전
23   digitalWrite(MA1, 0);
24   digitalWrite(MA2, 1);
25   digitalWrite(MB1, 1);
26   digitalWrite(MB2, 0);
27   delay(500);
28 }
29
30 void right() { // 우회전
31   digitalWrite(MA1, 1);
32   digitalWrite(MA2, 0);
33   digitalWrite(MB1, 0);
34   digitalWrite(MB2, 1);
35   delay(500);
36 }
37
38 void stop2() { // 정지
39   digitalWrite(MA1, 0);
40   digitalWrite(MA2, 0);
41   digitalWrite(MB1, 0);
42   digitalWrite(MB2, 0);
43 }
44
45 void setup() {
46   pinMode(MA1, OUTPUT);
47   pinMode(MA2, OUTPUT);
48   pinMode(MB1, OUTPUT);
49   pinMode(MB2, OUTPUT);
50
51   forward(); // 전진
52   left();    // 좌회전
53   forward(); // 전진
54   left();    // 좌회전
55   forward(); // 전진
56   stop2();   // 정지
57 }
58
59 void loop() {
60 }
```

이 소스 코드는 사용하여 두 개의 DC 모터를 제어하여 자동차가 ㄷ자 코스를 주행하는 예제이다. 이전 소스 코드를 함수를 이용해 작성한 코드로 실행 결과는 이전과 동일하다.

- 01-04줄 : 모터 드라이버의 핀들에 대한 상수를 정의한다.
- 06-12줄 : forward() 함수로 자동차를 전진하는 코드를 정의하였다.
- 14-20줄 : backward() 함수로 자동차를 후진하는 코드를 정의하였다.
- 22-28줄 : left() 함수로 자동차를 좌회전하는 코드를 정의하였다.
- 30-36줄 : right() 함수로 자동차를 우회전하는 코드를 정의하였다.
- 38-43줄 : stop2() 함수로 자동차를 정지하는 코드를 정의하였다.
- 46-49줄 : 각 핀을 출력 모드로 설정한다.
- 51-56줄 : 정의한 함수들을 호출하여 차량이 특정 패턴으로 움직이게 한다.

4.6.7. 회로 구성 및 소스 코드 5

회로 구성 - 이전과 동일

소스 코드

4.6.7.1. 예제

```
01 #define MA1 5
02 #define MA2 6
03 #define MB1 8
04 #define MB2 9
05
06 void forward(int a) {
07   digitalWrite(MA1, 1);
08   digitalWrite(MA2, 0);
09   digitalWrite(MB1, 1);
10   digitalWrite(MB2, 0);
11   delay(a);
12 }
13
14 void backward(int b) {
15   digitalWrite(MA1, 0);
16   digitalWrite(MA2, 1);
17   digitalWrite(MB1, 0);
18 digitalWrite(MB2, 1);
19   delay(b);
20 }
21
22 void left(int c) {
23   digitalWrite(MA1, 1);
24   digitalWrite(MA2, 0);
25   digitalWrite(MB1, 0);
26   digitalWrite(MB2, 1);
27   delay(c);
28 }
29
30 void right(int d) {
31   digitalWrite(MA1, 0);
32   digitalWrite(MA2, 1);
33   digitalWrite(MB1, 1);
34   digitalWrite(MB2, 0);
35   delay(d);
36 }
37
38 void stop2() {
39   digitalWrite(MA1, 0);
40   digitalWrite(MA2, 0);
41   digitalWrite(MB1, 0);
42   digitalWrite(MB2, 0);
43 }
44
45 void setup() {
46   pinMode(MA1, OUTPUT);
47   pinMode(MA2, OUTPUT);
48   pinMode(MB1, OUTPUT);
49   pinMode(MB2, OUTPUT);
50
51   forward(1000);
52   right(600);
53   forward(500);
54   right(1100);
55   forward(1000);
56   right(1100);
57   forward(500);
58   right(600);
59   forward(1000);
60   stop2();
61 }
62
63 void loop() {
64 }
```

[실습] 지정된 경로로 주행하는 아두이노 자동차 프로그래밍

앞서 제시된 소스 코드를 이용하여 바퀴 A(디지털 9, 10번 핀), 바퀴 B(디지털 5번, 6번 핀)를 제어해 보고, 자동차를 다음과 같은 경로로 주행시켜 보자.

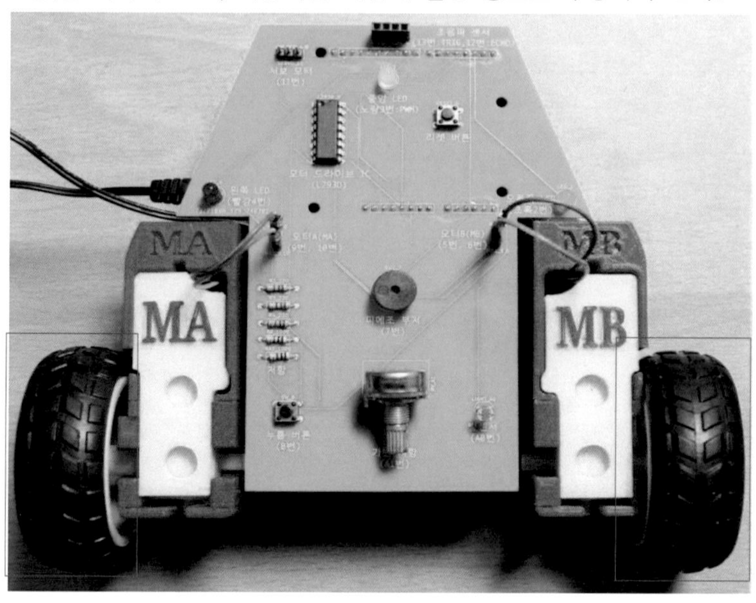

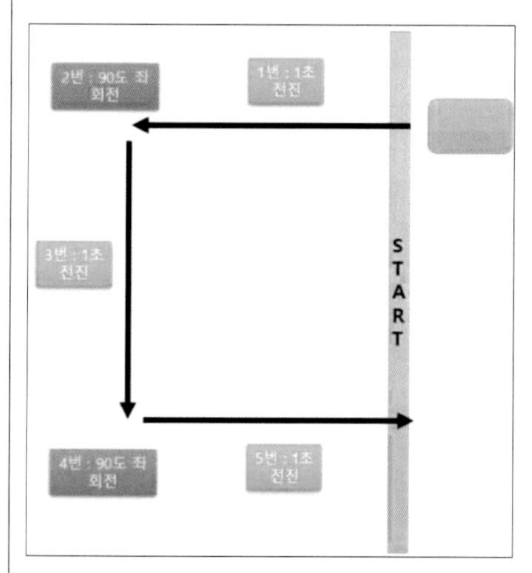

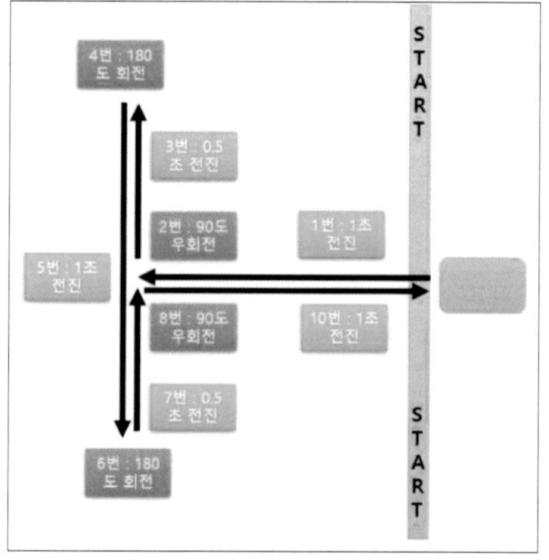

4.6.8. 응용 예제

회로 구성

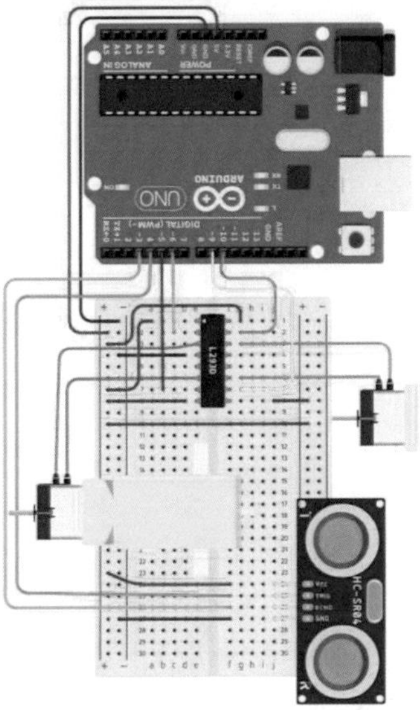

- L293D : 이전 회로 구성 참조
- 초음파 센서 : ECHO-D3, TRIG-D4

4.6.8.1. 예제

```
01 #define MA1 9
02 #define MA2 10
03 #define MB1 5
04 #define MB2 6
05 #define ECHO 3
06 #define TRIG 4
07
08 void forward(int a) {
09   digitalWrite(MA1, 1);
10   digitalWrite(MA2, 0);
11   digitalWrite(MB1, 1);
12   digitalWrite(MB2, 0);
13   delay(a);
14 }
15
16 void backward(int b) {
17   digitalWrite(MA1, 0);
18   digitalWrite(MA2, 1);
19   digitalWrite(MB1, 0);
20   digitalWrite(MB2, 1);
21   delay(b);
22 }
23
24 void left(int c) {
25   digitalWrite(MA1, 0);
26   digitalWrite(MA2, 1);
27   digitalWrite(MB1, 1);
28   digitalWrite(MB2, 0);
29   delay(c);
30 }
31
32 void setup() {
33   pinMode(MA1, OUTPUT);
34   pinMode(MA2, OUTPUT);
35   pinMode(MB1, OUTPUT);
36   pinMode(MB2, OUTPUT);
37   pinMode(ECHO, INPUT);
38   pinMode(TRIG, OUTPUT);
39   Serial.begin(9600);
40 }
41
42 void loop() {
43   digitalWrite(TRIG, LOW);
44   delayMicroseconds(2);
45   digitalWrite(TRIG, HIGH);
46   delayMicroseconds(10);
47   digitalWrite(TRIG, LOW);
48
49   long duration = pulseIn(ECHO, HIGH);
50
51   long distance = duration / 58.2;
52
53   Serial.println(distance);
54
55   if (distance < 10) {
56     backward(1000);
57     left(1000);
58   } else {
59     forward(100);
60   }
61 }
```

이 소스 코드는 장애물을 만나면 피하는 자동차를 구현한 예제이다.

[실습] 장애물을 피해 주행하는 자동차 만들기

앞서 제시된 소스 코드를 이용하여 바퀴 A(디지털 9, 10번 핀), 바퀴 B(디지털 5번, 6번 핀), 초음파 센서(ECHO : 디지털 13번 핀, TRIG : 디지털 12번 핀)를 제어하여 장애물을 피해 자율 주행하는 자동차의 소스 코드를 작성해 보자.

제 5 장 C언어 기본 문법

5.1. 상수와 변수

5.1.1. 상수

상수는 변하지 않는 값을 나타내는 데 사용되며, 그 값은 프로그램 실행 도중에 변경할 수 없다. 상수는 특정 자료형에 따라 정수형 상수, 실수형 상수, 문자 상수, 문자열 상수 등으로 구분된다.

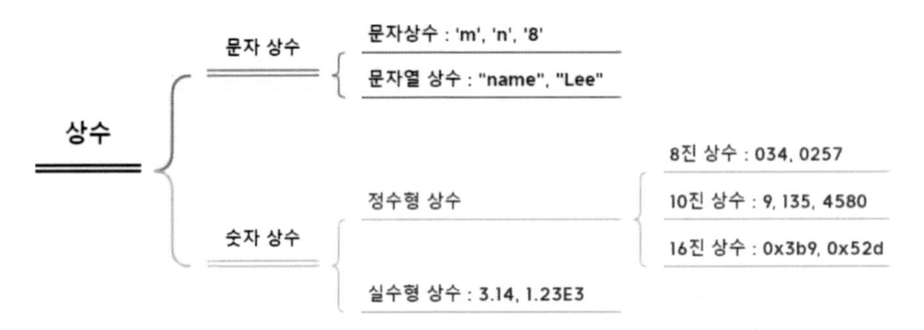

- 정수형 상수 : 정수형 상수는 양의 정수, 0, 음의 정수를 포함한다. 정수형 상수는 10진수, 8진수(숫자 앞에 0(영)을 붙임), 16진수(숫자 앞에 0x 또는 0X를 붙임) 등이 있다.
- 실수형 상수 : 실수형 상수는 소수점이 있는 숫자 또는 지수 표현식을 나타낸다.
- 문자 상수 : 작은 따옴표(′ ′)로 묶인 단일 문자를 나타낸다.
- 문자열 상수 : 쌍따옴표(″ ″)로 둘러싸인 문자들의 집합이다. 이 문자열은 메모리에 연속적으로 저장되며, 문자열의 끝은 NULL 문자(\0)로 표시된다.

5.1.2. 변수

변수의 선언

변수는 데이터를 저장하기 위한 이름이 붙은 저장 공간이다. C언어에서 변수를 사용하려면 먼저 변수의 자료형과 변수명을 선언해야 한다. 변수의 선언은 다음과 같은 형식을 가진다.

```
자료형 변수명;
```

여기서 자료형은 변수가 저장할 데이터의 유형을 나타내며, 변수명은 변수의 이름을 나타낸다. 예를 들어, 정수를 저장하는 변수를 선언하려면 다음과 같이 작성한다.

```
int number;
```

변수에 값을 할당하려면 '=' 연산자를 사용한다. 앞서 선언한 number 변수에 5를 할당하려면 다음과 같이 작성한다.

```
number = 5;
```

변수 이름 명명 규칙

변수 이름을 짓는 데는 다음과 같은 규칙이 있다.

- 변수 이름은 알파벳, 숫자, 밑줄(_)로 구성할 수 있다.
- 변수 이름은 숫자로 시작할 수 없다.
- 변수 이름에는 공백이 포함될 수 없다.
- 변수 이름은 C언어의 예약어를 사용할 수 없다(C언어의 예약어에는 int, char, float, double, if, else, switch, for, while 등이 포함되며, 이러한 단어들은 변수 이름으로 사용될 수 없다).

5.1.3. 자료형

자료형이란 프로그램에서 사용하는 데이터의 종류를 나타낸다. C언어의 기본 자료형에는 정수형, 실수형, 문자형 등이 있다.

- 정수형(int) : 정수형 자료형은 정수값을 저장한다. 이는 부호 있는 정수(signed integers)와 부호 없는 정수(unsigned integers)로 나뉘며, 더욱 큰 범위의 정수를 저장하려면 long 또는 long long을 사용할 수 있다.

```
int number;
number = 10;
```

- 실수형(float, double) : 실수형 자료형은 소수점이 있는 숫자를 저장한다.

```
float decimal;
decimal = 3.14;
```

- 문자형(char) : 문자형 자료형은 단일 문자를 저장한다. C언어에서는 아스키 코드를 사용하여 문자를 숫자로 변환하므로, 문자형 변수에는 사실상 작은 정수가 저장된다.

```
char letter;
letter = 'A';
```

5.2. 연산자

연산자는 특정한 종류의 연산을 수행하도록 하는 기호로, 주어진 데이터에 대해 연산을 수행하고, 그 결과를 반환한다.

5.2.1. 대입 연산자

대입 연산자는 대입 연산자(=)는 변수에 값을 할당하는 데 사용된다. 대입 연산자는 오른쪽 피연산자의 값을 왼쪽 피연산자에 저장한다.

다음 예제의 첫 번째 줄은 'a'라는 이름의 정수 변수를 선언한다. 두 번째 줄에서는 대입 연산자(=)를 사용하여 이 변수에 값 10을 할당한다. 이 프로그램을 실행한 후에는 'a'의 값이 10이 된다.

```
int a;
a = 10;
Serial.println(a);  // 출력 : 10
```

5.2.2. 산술 연산자

산술 연산자는 이름에서 알 수 있듯이 수학적인 계산을 수행하는 연산자이다. C 언어에서 제공하는 기본적인 산술 연산자에는 더하기(+), 빼기(-), 곱하기(*), 나누기(/), 나머지(%) 등이 있다. 산술 연산자는 변수에 저장된 값 또는 직접적인 값을 사용하여 연산을 수행할 수 있다.

- 더하기(+) : 두 피연산자의 합을 반환한다.
- 빼기(-) : 첫 번째 피연산자에서 두 번째 피연산자를 뺀 결과를 반환한다.
- 곱하기(*) : 두 피연산자의 곱을 반환한다.
- 나누기(/) : 첫 번째 피연산자를 두 번째 피연산자로 나눈 결과를 반환한다. 정수 나눗셈은 몫만 반환한다.

```
int a = 5, b = 3;
int c = a / b;
Serial.println(c);  // 출력 : 1
```

- 나머지(%) : 첫 번째 피연산자를 두 번째 피연산자로 나눈 후의 나머지를 반환한다. 나머지 연산자는 정수에서만 사용한다.

```
int a = 5, b = 3;
int c = a % b;
Serial.println(c);  // 출력 : 2
```

5.2.3. 비교 연산자

비교 연산자는 두 피연산자를 비교하고, 그 결과를 정수형으로 반환한다. 이때, 참인 경우 1을, 거짓인 경우 0을 반환한다. C 언어에서는 다음과 같은 비교 연산자를 사용할 수 있다.

- == : 두 피연산자가 같은 값인지 검사한다.

```
int a = 5, b = 3;
Serial.println(a == b);  // 출력 : 0
```

- != : 두 피연산자가 다른 값인지 검사한다.

```
int a = 5, b = 3;
Serial.println(a != b);  // 출력 : 1
```

- < : 첫 번째 피연산자가 두 번째 피연산자보다 작은지 검사한다.
- > : 첫 번째 피연산자가 두 번째 피연산자보다 큰지 검사한다.
- <= : 첫 번째 피연산자가 두 번째 피연산자보다 작거나 같은지 검사한다.
- >= : 첫 번째 피연산자가 두 번째 피연산자보다 크거나 같은지 검사한다.

5.2.4. 증감 연산자

증감 연산자는 변수의 값을 1 증가시키거나 1 감소시키는 연산자이며, 두 가지 종류가 있다.

- 전위 증감 연산자(++x 또는 —x) : 변수의 값을 먼저 변경하고, 그 후에 표현식을 계산한다.
- 후위 증감 연산자(x++ 또는 x--) : 먼저 표현식을 계산하고, 그 후에 변수의 값을 변경한다.

아래 예제에서 ++x는 전위 증감 연산자이다. 이는 먼저 x의 값을 1 증가시킨 후(x는 이때 11이 된다). 그 값을 y에 할당한다(y는 이때 11이 된다).

```
int x = 10;
int y = ++x;
```

아래 예제에서 x++는 후위 증감 연산자이다. 이는 먼저 x의 현재 값을 y에 할당한다(y는 이때 10이 된다). 이후 x의 값을 1 증가시킨다(x는 이때 11이 된다).

```
int x = 10;
int y = x++;
```

증감 연산자는 반복문에서 인덱스를 증가시키거나 감소시키는 데 주로 사용된다. 이러한 연산자는 소스를 간결하게 만들어 주며, 때로는 연산을 최적화하는 데도 도움이 된다. 한편, 증감 연산자는 단독으로 사용될 때에는 전위와 후위에 따른 차이가 없지만, 다른 연산과 함께 사용될 때에는 연산 순서에 따라 결과가 달라질 수 있으므로 주의해야 한다.

5.2.5. 논리 연산자

논리 연산자는 주어진 조건의 논리적 판단을 통해 참(1) 또는 거짓(0)을 결정하는 연산자이다. C 언어에는 다음과 같은 논리 연산자가 있다.

- AND 연산자(&&) : 두 조건이 모두 참일 때 참을 반환한다. 만약 두 조건 중 하나라도 거짓이면 거짓을 반환한다.
- OR 연산자(||) : 두 조건 중 하나라도 참일 때 참을 반환한다. 만약 두 조건이 모두 거짓이면 거짓을 반환한다.
- NOT 연산자(!) : 주어진 조건이 참이면 거짓을 반환하고, 거짓이면 참을 반환한다.

```
int x = 5;
int y = 10;

Serial.println(x > 0 && y > 0);  // 출력 : 1
Serial.println(x > 0 || y < 0);  // 출력 : 1
Serial.println(!(x > 0));  // 출력 : 0
```

5.3. 조건문

조건문은 프로그램의 흐름을 제어하는 중요한 구문이다. 특정 조건이 참인지 거짓인지에 따라 다른 명령문을 실행하도록 한다.

5.3.1. if 문

if문은 가장 기본적인 형태의 조건문이다. if 다음의 괄호 안에 있는 조건식이 참(0이 아닌 값)이면, if문 블록 내부의 소스가 실행된다.

```
if (조건식) {
    실행문;
}
```

- 조건식은 참(true, C에서는 주로 0이 아닌 값을 의미) 또는 거짓(false, C에서는 0을 의미)의 값을 반환하는 표현식이다. 이 조건식이 참일 경우 if 문 내의 실행문이 실행되며, 거짓일 경우 실행문은 건너뛴다.
- 실행문은 조건식이 참인 경우에만 실행되는 코드 블록이다.

5.3.2. if-else문

if-else문은 if문의 조건이 거짓일 경우를 처리하기 위해 사용한다. if문의 조건이 참이면 if 블록의 소스가, 거짓이면 else 블록의 소스가 실행된다.

```
if (조건식) {
    실행문 1;
}  else {
    실행문 2;
}
```

- 조건식은 참 또는 거짓의 값을 반환하는 표현식이다.
- 실행문 1은 조건식이 참일 경우 실행되는 코드 블록이다.
- 실행문 2은 조건식이 거짓일 경우 실행되는 코드 블록이다.

5.3.3. if-else if-else문

if-else if-else문은 여러 조건을 체크 하고자 할 때 사용한다. 조건은 위에서 아래로 차례대로 평가되며, 참인 조건을 만나면 해당 블록의 소스가 실행되고, 나머지 조건은 무시된다.

```
if (조건식) {
    실행문 1;
} else if (조건식) {
    실행문 2;
} else if (조건식) {
    실행문 3;
else  {
    실행문 4;
}
```

- 조건식은 참 또는 거짓의 값을 반환하는 표현식이다.
- 실행문 1, 2, 3은 조건식이 참일 때 실행되는 코드 블록이다.
- else는 위의 어떤 조건식도 참이 아닐 경우 실행되는 코드 블록이다.

5.4. 반복문

C 언어에서 반복문(loop)은 주어진 조건이 만족하는 동안(즉, 조건이 참인 동안) 코드 블록을 반복해서 실행하는 구문이다. 이는 일련의 작업을 여러 번 수행하거나, 특정 조건이 만족될 때까지 계속해서 같은 작업을 반복할 때 유용하다. C 언어에서는 대표적으로 for, while, do-while 등 세 가지 반복문을 사용한다.

5.4.1. for 문

for 문은 특정 횟수만큼 반복을 수행하고자 할 때 주로 사용한다. for 문의 구조는 다음과 같다.

```
for (① 초기식; ② 조건식; ④ 증감식) {
   ③ 실행문;
}
```

- ① 초기식 : 이곳에서 반복 변수를 초기화하게 된다. 대개는 int i = 0;과 같은 형태로 사용된다. 이 초기식은 for 문이 시작될 때 단 한 번만 평가된다.
- ② 조건식 : 이 조건식이 참(true)인 동안, for 블록 내의 실행문(들)이 실행된다. 조건식은 각 반복 시작 전에 평가된다. 만약 조건식이 거짓(false)이면, 반복은 중단되고 for 문 다음의 코드로 진행된다.
- ③ 실행문 : 이 부분의 코드는 조건식이 참인 동안 반복해서 실행된다.
- ④ 증감식 : 실행문(들)의 실행이 끝날 때마다 이 증감식이 실행된다. 대부분의 경우에는 반복 변수의 값을 증가(i++)하거나 감소(i--)시키는 데 사용된다.

예를 들어, 왼쪽 소스 코드를 반복문으로 작성하면 오른쪽 소스 코드와 같다.

5.4.1.1. 예제	5.4.1.2. 예제

void setup() {
    pinMode(pin[0], OUTPUT);
    pinMode(pin[1], OUTPUT);
    pinMode(pin[2], OUTPUT);
    pinMode(pin[3], OUTPUT);
    pinMode(pin[4], OUTPUT);
    pinMode(pin[5], OUTPUT);
    pinMode(pin[6], OUTPUT);
}
	void setup() {
	  int n;
	  for (n = 0; n < 7; n++)
	    pinMode(pin[n], OUTPUT);
	}

5.4.2. while 문

while 문은 주어진 조건이 참(0이 아닌 모든 수)인 동안 소스를 계속해서 반복한다.

```
while (조건식) {
   실행문;
}
```

- 조건식은 참 또는 거짓의 값을 반환하는 표현식이다.
- 실행문은 조건식이 참인 동안 반복적으로 실행되는 코드 블록이다.

while 문의 처리 순서는 다음과 같다.

- ① while 문이 시작될 때 조건식이 평가된다.
- ② 조건식의 결과가 참이면 실행문 내의 코드가 실행된다.
- ③ 실행문의 마지막까지 도달하면 다시 조건식을 평가한다.
- ④ 조건식이 거짓이 될 때까지 ②와 ③의 과정이 반복된다.
- ⑤ 조건식이 거짓이면 while 문을 종료하고 그 이후의 코드를 계속 실행한다.

5.4.2.1. 예제

```
void setup() {
  Serial.begin(9600);

  int number = 1024;
  while (number > 0) {
    Serial.printf("%5d", number);
    number /= 2;
  }
}

void loop() {
} // 출력 : 1024  512  256  128   64   32   16    8    4    2
```

5.4.3. do-while 문

do-while 문은 while 문과 비슷하지만 조건 검사를 나중에 하는 것이 특징이다. 즉, 소스 블록을 먼저 실행하고 조건을 검사한다. 이러한 특성 때문에 소스 블록이 최소한 한 번은 실행된다는 것을 보장할 수 있다.

```
do {
   실행문;
} while (조건식);
```

- 실행문은 반복이 시작될 때 가장 먼저 실행되는 코드 블록이다.
- 조건식은 실행문이 실행된 후 평가되는 표현식으로, 참 또는 거짓의 값을 반환한다.

do-while 문의 처리 순서는 다음과 같다.

- ① 실행문 내의 코드가 먼저 실행된다.
- ② 그 다음에 조건식이 평가된다.
- ③ 조건식의 결과가 참이면 실행문을 다시 실행한다.
- ④ 조건식이 거짓이 될 때까지 ①~③의 과정이 반복된다.
- ⑤ 조건식이 거짓이면 do ... while 문을 종료하고 그 이후의 코드를 계속 실행한다.

5.4.3.1. 예제

```
void setup() {
  Serial.begin(9600);

  int n = 10;
  do {
    if (n % 5 == 0) {
      Serial.printf("%3d", n);
    }
    n++;
  } while (n < 20);
}

void loop() {
} // 출력 : 10  15
```

5.5. 배열

C 언어에서 배열(array)은 동일한 자료형의 여러 변수를 하나의 이름으로 그룹화하여 저장하는 데 사용하는 데이터 구조이다. 이는 연속적인 메모리 위치에 저장되어, 하나의 배열 이름과 인덱스를 통해 각각의 요소에 접근할 수 있다.

단일 변수를 사용할 경우 a, b, c, d와 같이 여러 개의 변수명을 지정해야 한다. 그러나 배열을 사용하면, 단일 이름으로 많은 데이터를 동시에 처리할 수 있다. 따라서 프로그래밍에서 대량의 데이터를 처리해야 할 경우, 배열을 사용하면 코드 작성이 간결해지며 효율적으로 데이터를 관리할 수 있다.

a	b	c	d
int	int	int	int

int a, b, c, d;

m[0]	m[1]	m[2]	m[3]
int	int	int	int

int m[4] ;

5.5.1. 1차원 배열

1차원 배열은 가장 간단한 형태의 배열로, 여러 개의 동일한 데이터 타입의 변수를 하나의 이름으로 묶은 것이다. 배열의 각 요소는 고유의 인덱스를 가지며, 이 인덱스는 배열 내의 위치를 나타낸다. 인덱스는 대괄호([]) 안에 위치하는 정수로 표시되며, 대부분의 언어에서 배열의 인덱스는 0에서 시작한다.

1차원 배열의 선언

C 언어에서 1차원 배열을 선언하는 방법은 다음과 같다. 기본적으로 배열을 선언할 때는 배열의 자료형, 배열의 이름, 배열의 크기(인덱스)를 지정해야 한다.

```
자료형  배열명[배열 크기(인덱스)]
(예) int numbers[5]
```

- 자료형 : int, float, char 등은 변수에 저장될 데이터의 타입을 선언한다.
- 배열명 : 이는 변수명과 마찬가지로 메모리 위치에 부여되는 이름으로, 사용자가 지정한다.
- 배열 크기(인덱스) : 배열 크기 인덱스는 0부터 시작하며, 대괄호([배열 크기])가 한 개이면 1차원, 두 개이면 2차원 배열을 정의하는 것으로 분류된다.

1차원 배열의 초기화

C 언어에서 1차원 배열의 초기화는 배열 선언과 동시에 이루어진다.

- 일반적인 배열 선언 및 초기화 방법 : 배열을 선언하면서 동시에 초기화할 수 있다.

```
int array[5] = {1, 2, 3, 4, 5};
```

이 예제에서는 array라는 이름의 배열을 선언하고, 중괄호({}) 안에 있는 값을 사용해 초기화한다.

- 열 크기보다 요소의 초기화 값이 적게 지정된 경우 : 만약 배열의 크기보다 초기화 값의 개수가 적다면, 나머지 요소는 해당 타입의 기본값으로 초기화된다. 정수형의 기본값은 0이다.

```
int array[5] = {1, 2, 3};
```

이 예제에서는 array라는 이름의 배열을 선언하고, 중괄호({}) 안에 있는 세 개의 값을 사용해 초기화한다. 나머지 두 개의 요소는 0으로 초기화된다.

- 열 크기보다 요소의 초기화 값이 많게 지정된 경우 : 배열의 크기보다 초기 값의 개수가 많다면, 컴파일 에러가 발생한다. 배열의 크기는 초기화 시점에서 이미 결정되므로, 이를 초과하는 요소를 초기화할 수 없다.

```
int array[3] = {1, 2, 3, 4};  // 컴파일 에러
```

이 예제에서는 array라는 이름의 배열을 선언하고, 중괄호({}) 안에 있는 네 개의 값을 사용해 초기화하려 했지만, 배열의 크기가 3이므로 컴파일 에러가 발생한다.

- 배열 크기를 지정하지 않은 경우 : C 언어에서 배열을 선언하고 초기화할 때, 배열 크기를 명시하지 않을 수 있다. 이 경우 컴파일러는 제공된 초기화 값의 개수를 사용하여 배열 크기를 자동으로 결정한다.

```
int array[] = {1, 2, 3, 4, 5};
```

이 예제에서는 array라는 이름의 배열을 선언하고, 중괄호({}) 안에 있는 값을 사용해 초기화한다. 배열의 크기를 명시하지 않았지만, 초기화 값이 5개 있으므로 컴파일러는 array의 크기를 5로 자동으로 결정한다. 이 방식은 배열의 크기가 초기화 값의 개수에 의존하므로, 초기화 값이 변경될 때마다 배열의 크기를 수동으로 조정할 필요가 없어 코드 유지 관리가 용이하다.

- 초기화 없이 크기를 지정하지 않은 배열 : 이와 같이 선언하는 것은 허용되지 않는다. 아래 예제의 선언은 잘못된 것이다.

```
int array[];
```

반복문을 활용한 배열 처리

배열의 요소가 많을 때 이들 요소를 각각 출력하는 데 효율적으로 사용하기 위해 반복문을 활용한다.

예를 들어, 왼쪽 소스 코드를 반복문으로 작성하면 오른쪽 소스 코드와 같다.

5.5.1.1. 예제	5.5.1.2. 예제

<pre>void setup() {
    pinMode(13, OUTPUT);
    pinMode(12, OUTPUT);
    pinMode(11, OUTPUT);
    pinMode(10, OUTPUT);
    pinMode(9, OUTPUT);
    pinMode(8, OUTPUT);
    pinMode(7, OUTPUT);
}</pre>
	<pre>int pin[7] = {13, 12, 11, 10, 9, 8, 7};
	
	void setup() {
	  int n;
	  for (n = 0; n < 7; n++)
	    pinMode(pin[n], OUTPUT);
	}</pre>

5.5.2. 2차원 배열

2차원 배열은 '배열의 배열'로 생각할 수 있다. 즉, 2차원 배열은 1차원 배열을 요소로 가진 배열이다. 이는 행과 열로 구성된 표처럼 생각할 수 있다. 2차원 배열에서 각 요소에 접근하려면 두 개의 인덱스를 사용해야 한다. 첫 번째 인덱스는 행을, 두 번째 인덱스는 열을 나타낸다.

2차원 배열의 선언

C 언어에서 2차원 배열을 선언하는 방법은 다음과 같다.

```
자료형  배열명[행의 크기][열의 크기] = {
    {요소1, 요소2, 요소3, ....},_
    {요소1, 요소2, 요소3, ....},
};

(예)
int matrix[3][4] = {
    {1, 2, 3, 4},
    {5, 6, 7, 8},
    {9, 10, 11, 12}
};
```

- 자료형 : int, float, char 등은 변수에 저장될 데이터의 타입을 선언한다.
- 배열명 : 이는 변수명과 마찬가지로 메모리 위치에 부여되는 이름으로, 사용자가 지정한다.
- 행의 크기, 열의 크기 : 배열의 행과 열의 크기를 나타낸다.
- {요소1, 요소2, 요소3, ...} : 중괄호 안에 있는 값들은 배열의 각 행에 대한 초기값이다.

2차원 배열의 초기화

C 언어에서 2차원 배열의 초기화는 배열의 내부 중괄호를 어떻게 구성하느냐에 따라 달라진다. int[2][3]의 예를 살펴보면 다음과 같다.

	0열	1열	2열
0행	a[0][0]	a[0][1]	a[0][2]
1행	a[1][0]	a[1][1]	a[1][2]

int[2][3]을 선언하면 위와 같이 정수형(int)으로 배열명 a에 6개의 저장 장소를 할당 받고 있음을 의미한다. 하지만 실제 메모리 상에서는 다음과 같이 1차원의 물리적 구조를 갖는다.

a[0][0]	a[0][1]	a[0][2]	a[1][0]	a[1][1]	a[1][2]

2차원 배열은 다음과 같이 다양하게 배열을 선언할 수 있다. 다음 예를 참고로 2차원 배열의 선언 및 초기화의 논리적 구조를 확인한다.

2차원 배열의 예	논리적 구조		
int a[2][3]= {1,2,3,4,5,6}	a[0][0] 1 4 a[1][0]	a[0][1] 2 5 a[1][1]	a[0][2] 3 6 a[1][2]
int a[2][3]={ {1,2,3}, {4,5,6}	a[0][0] 1 4 a[1][0]	a[0][1] 2 5 a[1][1]	a[0][2] 3 6 a[1][2]
int a[2][3]= {1,2,3}	a[0][0] 1 0 a[1][0]	a[0][1] 2 0 a[1][1]	a[0][2] 3 0 a[1][2]
char c[2][3]= {"ab","cd"}	c[0][0] a c c[1][0]	c[0][1] b d c[1][1]	c[0][2] \n \n c[1][2]
char c[2][3]= {"ab"}	c[0][0] a garbage c[1][0]	c[0][1] b garbage c[1][1]	c[0][2] \n garbage c[1][2]

5.6. 함수

함수는 일련의 코드를 그룹화하고 이름을 지정하여 재사용하기 쉽게 만든 코드 블록을 말한다. 함수를 한 번 정의하면, 프로그램의 어디에서든지 해당 함수를 호출하여 사용할 수 있다. 또한, 큰 프로그램을 작은 단위로 나눌 수 있어 코드의 가독성과 관리성이 향상된다.

<table>
<tr><th>함수를 사용하지 않은 경우</th><th>함수를 사용한 경우</th></tr>
<tr><td>5.6.1.1. 예제</td><td>5.6.1.2. 예제</td></tr>
<tr><td><pre>
void setup() {
  Serial.begin(9600);
  int a, b, c;

  a = 1; b = 2;
  c = a + b;
  Serial.println(c);

  a = 3; b = 4;
  c = a + b;
  Serial.println(c);

  a = 5; b = 6;
  c = a + b;
  Serial.println(c);

}

void loop() {
}
</pre></td><td><pre>
int add(int x, int y);

void setup() {
  Serial.begin(9600);
  add(1, 2);
  add(3, 4);
  add(5, 6);
}

void loop() {
}

int add(int x, int y) {
  int z = x + y;
  Serial.println(z);
  return z;
}
</pre></td></tr>
</table>

함수에는 사용자가 특정 목적에 맞게 만든 사용자 정의 함수와 아두이노에서 기본적으로 제공하는 라이브러리 함수 등 두 가지 유형의 함수가 있다. 이 교재의 [함수]에서 다룬 대부분의 함수들이 라이브러리 함수이다. 여기에서는 사용자 정의 함수만 살펴본다.

사용자 정의 함수는 반환 값과 매개변수의 유무에 따라 4가지 유형으로 분류할 수 있다.

- 유형 1 : 반환값 - 없음 / 매개변수 - 없음 예) void buy(void)
- 유형 2 : 반환값 - 없음 / 매개변수 - 있음 예) void buy(int a)
- 유형 3 : 반환값 - 있음 / 매개변수 - 없음 예) int buy(void)
- 유형 4 : 반환값 - 있음 / 매개변수 - 있음 예) int buy(int)

반환값이 없고 매개변수가 없는 경우(유형 1)

이 유형의 함수는 매개변수를 받지 않고, 어떤 값도 반환하지 않는다. 이러한 함수는 일반적으로 특정 작업을 수행하지만 그 결과를 직접 반환하지 않는다.

5.6.1.3. 예제	실행 결과

`void school(void);`
 	
`void setup() {`
`  Serial.begin(9600);`
`  Serial.println("A Student's School?");`
`  school();`
`  Serial.println("B Student's School?");`
`  school();`
`  Serial.println("C Student's School?");`
`  school();`
`}`
 	
`void loop() {`
`}`
 	
`void school(void) {`
`  Serial.println("K Middle School");`
`}`
	A Student's School?
	K Middle School
	B Student's School?
	K Middle School
	C Student's School?
	K Middle School

- 반환값이 없고 매개변수가 있는 경우(유형 2) : 이 유형의 함수는 하나 이상의 매개변수를 받지만 반환값은 없다. 이러한 함수는 전달된 매개변수를 사용하여 작업을 수행하지만 결과를 반환하지는 않는다.

5.6.1.4. 예제	실행 결과

`void buy(int x);`
 	
`void setup() {`
`  Serial.begin(9600);`
`  buy(20);`
`  buy(40);`
`}`
 	
`void loop() {`
`}`
 	
`void buy(int x) {`
`  Serial.print(x);`
`  Serial.println(" USD for car");`
`}`
	20 USD for car
	40 USD for car

- 반환값이 있고 매개변수가 없는 경우(유형 3) : 이 유형의 함수는 매개변수를 받지 않지만, 어떤 값이나 결과를 반환한다. 이러한 함수는 특정 상태를 확인하거나 값을 생성하는데 사용될 수 있다.

5.6.1.5. 예제	실행 결과

`int getRandom();`
 	
`void setup() {`
`  Serial.begin(9600);`
`  int value = getRandom();`
`  Serial.print("Random number: ");`
`  Serial.println(value);`
`}`
 	
`void loop() {`
`}`
 	
`int getRandom() {`
`  return random(1, 101);`
`}`
	Random number: 55

- 반환값이 있고 매개변수가 있는 경우(유형 4) : 이 유형의 함수는 하나 이상의 매개변수를 받고, 그에 따른 결과나 값을 반환한다.

5.6.1.6. 예제	실행 결과

`int square(int n) {`
`    return (n * n);`
`}`
 	
`void setup() {`
`    Serial.begin(9600);`
`    int result = square(5);`
`    Serial.println(result);`
`}`
 	
`void loop() {`
`}`
	25

참고 문헌

이은상. (2023). 메이커를 위한 아두이노. 서울: 부크크.

이은상. (2024). 전자 부품으로 체험하는 아두이노. 서울: 부크크.